Het bedrog van Quisco

Daan Hermans

∘ ∘ ∘ ∘

Het bedrog van Quisco

Ambo|Anthos
Amsterdam

ISBN 978 90 263 2942 5

Omslagontwerp Bloemendaal & Dekkers
Omslagillustratie © Peter Lavery / Masterfile (landschap) / © Masterfile (hoed)
Foto auteur © Merlijn Doomernik

Verspreiding voor België:
Veen Bosch & Keuning uitgevers nv, Antwerpen

'We are what we pretend to be, so we must be careful about what we pretend to be.'

Kurt Vonnegut, *Mother Night*

1

Quisco is de plaats waar ik ontdekte dat ik mezelf het grootste deel van mijn leven had ontlopen. De waarheid onder ogen zien gaat de een nu eenmaal makkelijker af dan de ander. Bij mij was het een moeizaam proces dat werd ingezet door drie factoren: toeval, stupiditeit mijnerzijds en het overlijden van mijn oma. Althans, dat dacht ik. Later bleek dat het anders zat.

In het holst van de nacht was ik van huis vertrokken. Ik was al zes uur onderweg en had nog een uur of twee te gaan tot ik Quisco zou bereiken. Ik had mezelf wijsgemaakt dat een verandering van omgeving mij goed zou doen, want ik was al maanden niet meer de persoon op wie ik had leren vertrouwen, maar ik zag ertegenop. West, de stad die ik net had doorkruist terwijl ik me richting het oosten begaf, beloofde weinig goeds. Mijn enthousiasme voor deze trip daalde tot het nulpunt toen ik mij voorstelde in wat voor negorij ik terecht zou komen als het in West al zo triest was gesteld. Langzaam was ik door de desolate hoofdstraat gere-

den, waar de gevels van de armetierige winkels en verweerde wo-
ningen dezelfde roestkleur hadden als het woestijnzand dat over
de asfaltweg dreef.

De thermometer in mijn auto gaf tweeënveertig graden aan. Ik
nam de laatste lauwwarme slok water en legde de fles op de passa-
giersstoel. Loom rolde hij tegen het boek aan dat ik gistermiddag
van mijn chef had gekregen toen ik op de redactie was om wat
spullen te halen, waaronder het dossier van Martha Mulder, de
verdwenen huisarts van Quisco. Dossier was eigenlijk een verkeerde benaming. Het was een bescheiden mapje, samengesteld
door een collega die vorige week een artikel over Martha Mulders
verdwijning had geschreven. Terwijl ik het in mijn tas liet glijden, liep mijn chef voorbij.

'Hier, het enige wat ooit over Quisco is gepubliceerd. Je zult
het nodig hebben want ze zijn daar zo gesloten als oesters,' zei hij
en gooide me een boek toe. Ik kon het nog net ontwijken, en met
een plof belandde het op de grond. 'Verdomd interessante materie,' riep hij er lachend achteraan.

Aan mijn voeten lag een dun boek met een donkerrode stoffen
omslag. *Een geschiedenis van Quisco* stond erop in het lettertype dat ik
herkende van boeken die bij mijn oma in de kast hadden gestaan.
Ik sloeg het open. Het betrof een eerste – en hoogstwaarschijnlijk
laatste – druk van een paar decennia geleden. In het voorwoord
schreef de auteur dat hij, door de zwijgzaamheid van de lokale bevolking, bar weinig over Quisco te weten was gekomen en zijn eigen interpretatie erop los had gelaten. Ik vond dat een zwaktebod
en betwijfelde het nut van dit naslagwerk. Desalniettemin stopte
ik het in mijn tas.

Toen mijn chef mij opdracht gaf naar Quisco te gaan, zei hij dat ik net zo lang mocht wegblijven als ik nodig achtte. Dat bedoelde hij niet vriendelijk. Een paar dagen eerder was ik op zijn kamer ontboden waar hij mij te kennen had gegeven ontevreden te zijn over mijn werk. Het is onnodig zijn bewoordingen, waarvan de strekking duidelijk was, te herhalen. Hij eindigde met: 'Waar is je hart, Evander? Gooi je hart er eens in.'

Makkelijker gezegd dan gedaan, want de onderwerpen waarover ik moest schrijven waren zo oppervlakkig dat daar geen hart voor nodig was. Ik had mijn chef regelmatig laten weten dat hij mijn ambitie de kop indrukte door mij te laten schrijven over zaken die in het lokale sufferdje thuishoorden waardoor het voor mij onmogelijk was hem te laten zien wat ik als journalist in mijn mars had. Zijn reactie was altijd dat ik vergat dat ik ook op eigen initiatief met een stuk op de proppen kon komen, het liefst een waarvan hij en de lezers steil achterover zouden slaan. 'Als je zoveel in je mars hebt, laat het me dan zien,' sloot hij zo'n gesprek af.

Ergens had hij gelijk. Er was iets met me aan de hand. Niet lang na mijn aanstelling bij de krant was het begonnen. Ik had het gevoel in een kramp te leven, alsof ik op slot zat. Ik was lusteloos en moest me 's ochtends uit bed slepen om op tijd op de redactie te zijn. Schrijven, mijn vak nota bene, kostte me onwaarschijnlijk veel moeite. Zelfs de simpele stukjes waartoe ik veroordeeld was, kreeg ik ternauwernood uit mijn pen. Maar mij verbannen naar Quisco, of all places, ver van de actualiteit, om een stuk te schrijven over een of andere huisarts die spoorloos was verdwenen en waar we bovendien al over hadden gepubliceerd, vond ik een buitenproportionele maatregel om mij in het gareel te krijgen.

Het was deels mijn eigen schuld. Tijdens een redactievergadering waar de verdwijning van Martha Mulder ter sprake kwam, had ik laten vallen dat mijn oudtante Selma Le Bon in Quisco woonde. Een van de redacteuren had vervolgens lachend opgemerkt dat het waarschijnlijk erger was om in Quisco te leven dan om er te verdwijnen. Toen ik vroeg waarom hij er zo over dacht en erop liet volgen dat Quisco misschien wel een geweldige plek was om te verblijven, voelde ik dat ik een fout maakte. Als een veelkoppig monster richtten de aanwezigen zich op mij. Mijn chef keek me met een valse glimlach aan en ik wist wat hij zou gaan voorstellen.

Terwijl ik de airco van mijn auto hoger zette, bedacht ik dat het mooi zou zijn als die Martha Mulder gedurende mijn verblijf werd gevonden. Bij voorkeur dood. Ik moest er sowieso zelf iets van maken, anders zou ik daar kapotgaan van verveling. Quisco was een gehucht in een woestijn, bewoond door achterlijke dorpelingen die zich hadden onttrokken aan de normale maatschappij. Dankzij hun zelfverkozen isolement hadden ze natuurlijk geen idee wat zich buiten hun dorpsgrenzen afspeelde. En daar moest ik mij nu, als wereldse jongen, tussen gaan mengen. Ook zat ik opgescheept met een oudtante die een volslagen vreemde voor mij was.

Ik kwam achter haar bestaan toen ik een paar maanden geleden bij mijn oma op bezoek was. Ze had me gevraagd langs te komen omdat ze zich belabberd voelde. 'De dood zit me op de hielen,' had ze gezegd. Nu waren oma's klaagzangen voornamelijk een schreeuw om aandacht, maar toen ik haar huis binnenliep, wist ik dat ze deze keer niet overdreef. Het rook er naar het einde. Ik rationaliseerde haar nakende dood door te bedenken dat ze op leeftijd was en een mooi leven had gehad, toch werd ik ter plekke emotioneel. Ik zou haar gaan missen. Bij oma kon ik mezelf zijn, want zij had nooit verwachtingen van mij gekoesterd.

Languit lag ik bij haar op de sofa toen ze zich over mij heen boog om het schaaltje dat op mijn buik balanceerde met zoutjes bij te vullen. Ze streek me over mijn haar en zei dat ze me iets moest vertellen. Omdat het contact weer hersteld was, vond ze het hoog tijd mij in te lichten, liet ze weten. Welk contact, vroeg ik. Het contact met mijn zus, antwoordde ze. Ja, ze had het mij nooit verteld, maar ze had een zus die een jaar ouder was, Selma Le Bon heette en in Quisco woonde. Ga eens bij haar langs, zei ze en drukte een smoezelig papiertje met Selma's gegevens in mijn hand. Ik vroeg waarom het contact verbroken was, maar daar wilde ze geen antwoord op geven. Ze zei dat Selma me alles zou vertellen. Doe het voor mij, het is mijn laatste wens, voegde ze er op dramatische toon aan toe.

Ik wilde niet naar Quisco om mijn kostbare tijd te verdoen bij een oude vrouw. Bovendien kon ik slecht met bejaarden overweg, dus stribbelde ik tegen, maar oma drong aan. Selma zal je dingen vertellen waarover jij nog onwetend bent, zei ze, dingen die heel erg belangrijk zijn. Meer wilde ze niet kwijt. Aangezien oma een ster was in dramatiseren, wist ik dat die belangrijke dingen weinig zouden inhouden. Schoorvoetend beloofde ik Selma op te zoeken.

Twee maanden later overleed oma nadat zij en haar bridgepartner groot slem hadden geboden. Bij de laatste slag ging het mis. Voor oma's hart was dat ook meteen de laatste.

Na die bewuste redactievergadering nam ik contact op met Selma. Toen ik haar liet weten dat onze wederzijdse kennismaking de laatste wens van haar zus betrof, snoof ze. Het gesprek verliep stroef, maar ik was welkom. Zonder een greintje enthousiasme eindigde ze onze conversatie met: 'Je bent tenslotte familie,' een principe waar ik nooit iets van heb begrepen. Selma blijkbaar ook niet, dus dat hadden we alvast gemeen.

En zo kwam het dat ik op weg was naar Quisco, dat op een schiereiland lag in de vorm van een uitgestoken vinger. De collega die het stuk over Martha Mulder had geschreven, had mij verteld dat er mensen waren die er niet heen gingen omdat zij geloofden dat die vinger, die ongeveer vijftien kilometer de zee in wees, als waarschuwing moest worden gezien. Volgens mij zat het anders en had hun ongemak te maken met de afwijzende houding van de inwoners tegenover vreemden, waardoor er over Quisco maar een paar dingen bekend waren. Het was er warm, om niet te zeggen bloedheet, en ze hielden niet van pottenkijkers. Er waren geen hotels of pensions, dus overnachten was onmogelijk tenzij je iemand kende bij wie je kon logeren, zoals ik. Waar Quisco ook om bekendstond, was dat er geen kinderen waren. Op één na.

Dat alles wist ik. Wat ik toen nog niet wist, was dat ik heel veel over Quisco te weten zou komen. En over mezelf. Veel meer dan me lief was.

2

Ik reed het asfalt af en stopte bij een van de twee benzinepompen die het tankstation rijk was. Geduldig wachtte ik tot
de stofwolk was neergedaald, stapte uit en duwde mijn handen in
mijn onderrug. Na de kilte in de auto voelde de warme buiten-
lucht als een omhelzing, een die, als ik lang bleef staan, beklem-
mend zou worden.

Ik draaide de benzinedop eraf, stak het pistool in de tank en
vroeg me af welke humoristische geest op het idee was gekomen
midden in de woestijn een roeiboot neer te leggen. Hij lag op
twee bielzen links van het witgepleisterde benzinestation dat
eruitzag als een woonhuis. Op de veranda wiegden twee schom-
melstoelen op de stevige bries. Er stond een melkbus tussenin
met daarop in witte druipletters WELKOM! en naast de voordeur
hield een stapel manden zich in een wankele toren in evenwicht. Aan de luifel hing een uithangbord met de tekst: KOM
BIJTANKEN! Het bewoog zachtjes heen en weer en het geknars
van metaal op metaal bezorgde me kippenvel. Verder was het

doodstil. Zelfs de krekels hielden zich in deze verzengende hitte koest.

Ik sloot mijn benzinetank af, stapte de veranda op en trok de hordeur open. Het rook er naar wasmiddel, muskus en versgebakken koekjes. Een plafondventilator draaide aarzelend om zijn as en vanaf de vliegenvanger die eraan hing, kwam het zachte gezoem van insecten in doodstrijd. De stellingkasten tegen de muren waren volgestouwd met blikken en potten. Gebolde jute zakken lagen onder de tafel die in het midden van de ruimte stond en waar allerlei keukenbenodigdheden op waren uitgestald.

'Hallo?' riep ik en liep naar de toonbank waar een potje met drie walmende wierookstaafjes op stond, geflankeerd door een uit de kluiten gewassen receptiebel. 'Is daar iemand?'

'Ik kom eraan,' klonk een vrouwenstem vanachter een deur met een ijskast ernaast waar PAK UW DRANKJE! op was geschreven. De eigenaar hield van uitroeptekens. In mijn optiek waren dat ietwat naïeve mensen met een optimistische en vrolijke inborst die vol verbazing de wereld in keken: types waar ik geen enkele affiniteit mee had.

Ik pakte twee flessen water uit de ijskast en zette die op de toonbank. Door het bekraste glazen bovenblad keek ik een lade in. Hij was onderverdeeld in vakjes die gevuld waren met pakjes kauwgom, aanstekers, tandenstokers, knopen en tientallen andere zaken die iemand die kwam bijtanken nodig kon hebben. Ik onderdrukte de neiging hard op de receptiebel te slaan en begon maar wat te hoesten, toen de deur openging.

'Sorry, sorry, ik was even in de keuken bezig,' zei de vrouw, die achter de toonbank ging staan. 'Zo. Hallo! Wat kan ik voor je betekenen, jongeman?'

Haar serene gezicht werd omlijst door zilverwitte krullen die tot aan haar middel reikten. Haar ogen hadden de kleur van aquamarijn.

'O, wacht!' zei ze en stak zo plotseling haar hand uit dat ik terugdeinsde. 'Sorry.' Ze giechelde. Haar handdruk was stevig en koel en haar frisse minerale lichaamsgeur bereikte mijn neus.

'Hallo, vreemdeling. Ik ben Sharon.'

'Evander Clovis.'

'Dag Evander Clovis met je mooie naam. Aangenaam kennis te maken. Vertel, wat brengt je in deze contreien?'

Die vraag was volstrekt overbodig, aangezien deze weg maar naar één bestemming leidde die zo'n 120 kilometer verderop lag. 'Ik ben onderweg naar Quisco.'

Ze glimlachte. 'Zo. Jij durft.'

'Ik wist niet dat het daar gevaarlijk was?' Ik glimlachte terug terwijl die van haar een secondelang verdween.

Ze vouwde haar armen over elkaar en liet haar handen in de mouwen van haar kaftan verdwijnen, een handeling die gepaard ging met het gerinkel van tientallen zilveren armbanden. 'Ik zeg maar wat hoor, ik krijg weinig bezoekers voor Quisco. Vanuit Quisco al helemaal niet.'

'Dan zult u het wel rustig hebben.'

'Het druk hebben is een keuze die ik niet heb gemaakt.'

Ik knikte maar begreep er niets van. Ik begreep sowieso niets van dit soort mensen. Wie ging er nou voor zijn lol in the middle of nowhere wonen?

Er viel een askegel van een van de wierookstokjes. Sharon veegde de as weg en zei: 'Ze leven daar hun eigen leven. Ik heb er geen problemen mee. Van mij mogen ze.'

'Komen ze hier nooit?'

'Alleen de nieuwkomers, mensen zoals jij.' Ze maakte een hoofdbeweging naar het raam. 'Ze zijn daar zelfvoorzienend, ze hebben niets of niemand nodig.'

'Klinkt me als muziek in de oren.'

Sharon deed een stap achteruit, spreidde haar armen en begon te zingen: '*People... people who need people... are the luckiest people in the world.*' Haar sopraan had betere tijden gekend. Ze stak haar vinger omhoog. 'Weet je wat ze daarmee bedoelden, de schrijvers van dat liedje?'

'Mensen die andere mensen nodig hebben zijn gelukkig, neem ik aan.' Ik haalde mijn schouders op. 'Mwah, in mijn ogen zijn...'

'Het gaat dieper dan dat, Evander. Ze bedoelen dat mensen die kúnnen liefhebben de gelukkigste mensen op de wereld zijn. Ik ben benieuwd wat jij van die theorie vindt. Ben je het ermee eens?'

Babbelen over Quisco, prima, maar nu vroeg ze me naar mijn zielenroerselen. Ik werd er ongemakkelijk van en bovendien trok ik haar amicaliteit slecht. 'Ik kan prima alleen zijn.'

'Je begrijpt me niet of je wilt mij niet begrijpen, maar dat is prima. Zeg het eens. Waarmee kan ik je van dienst zijn?'

Ik liet haar weten hoeveel ik had getankt en wees op de flessen water. Ze noemde een bedrag en ik legde het geld op de toonbank.

'Mooi gepast. Dank je wel.' Ze stak haar hand in de kassalade. 'Voor jou,' zei ze en overhandigde mij een muntstuk.

Het was dik en had onregelmatige randen. Het koper was op

een paar plekken geoxideerd. De afbeelding in reliëf was van een woest kolkende rivier waar een onbemande roeiboot in dreef. De roeispanen hingen doelloos in hun houder. Vragend hield ik de munt omhoog.

'Voor de terugweg,' zei ze, 'voor het geval je moet tanken. Het kan zijn dat ik dan gesloten ben, dus bewaar hem goed. Gooi die munt in de pomp en je redt het tot West. Heb je verder nog iets nodig?'

Ik bedankte haar, stopte de munt in mijn broekzak en zei met een lachje: 'Alleen als je iets hebt dat ik in Quisco niet kan krijgen en waarvan je denkt dat ik het daar hard nodig ga hebben.' Haar gezicht vertrok. Een beetje beschaamd keek ik om me heen of ik iets zag liggen waar ik behoefte aan had.

'Ik kan je iets geven wat je in Quisco nodig hebt en daar niet zult krijgen,' zei ze. De opgewektheid was uit haar stem verdwenen.

'En dat is?'

'Advies. Ik kan je een advies geven. Wil je het hebben?'

'Advies is nooit weg.'

'Dan geef ik het je: wees alert. Niets is wat het lijkt in Quisco.' Voordat ik kon vragen wat ze bedoelde, stak ze haar neus in de lucht, snoof en zei: 'Het spijt me, Evander,' en wees naar de deur waardoor ze naar binnen was gekomen. 'Mijn koekjes...' Toen wenste ze me een goede reis en verdween.

Ik was perplex door het onverwachte einde van ons gesprek. Niets is wat het lijkt in Quisco? Wat een zweverige onzin.

Ik liep naar buiten, legde de flessen water in mijn auto en volgde de bordjes met WC! Toen ik een raam passeerde, keek ik onwillekeurig naar binnen. Sharon zat aan tafel. Ze hield haar hoofd gebogen en had haar handen ergens omheen gevouwen. Haar haren hingen voor haar gezicht en aan het lichte schokken van haar schouders maakte ik op dat ze huilde. Ik voelde me ongemakkelijk. Had ik iets verkeerds gezegd? Moest ik vragen of ze in orde was? Nee, dat ging te ver, ik kende die vrouw nauwelijks.

Terug van de wc keek ik weer naar binnen. Sharon was verdwenen. Op de tafel lag een fotolijstje.

3

IN HET dossier van Martha Mulder – de inhoud was zoals verwacht teleurstellend – zaten wat krantenknipsels van onze
concurrenten en een foto van Martha: een frêle blondine met
sprankelende bruine ogen. Ze zag er fris, gezond en gelukkig uit.
In haar glimlach trok ze haar lippen zo ver op dat haar tandvlees te
zien was en ze hield haar hoofd een beetje schuin waardoor haar
blik als licht spottend geïnterpreteerd kon worden. Ze stond voor
een huis; een spuuglelijk bouwsel opgetrokken uit donkerbruin
hout. Er zat ook een korte beschrijving van Quisco bij. Naast be-
knopte informatie over de ligging en over de stichter van het
plaatsje – ene Jeremiah Quisco – begreep ik dat de teller nu op
1552 inwoners stond. Op het exacte moment dat ik dat getal in
mijn hoofd had, passeerde ik het plaatsnaambord en trapte mijn
rem in.

Het rook naar smeltend asfalt en gedroogd gras. De gebarsten,
wit uitgeslagen weg strekte zich voor en achter mij uit in de trillende lucht en kliefde de zanderige vlakte doormidden. Ik trok

mijn pet over mijn ogen, kneep in mijn neus en liep naar het bord. Er stond geen welkom in Quisco op, maar alleen Quisco. Apart, want het was de gewoonte met zo'n bord bezoekers te verwelkomen. Maar dat was niet de reden waarom ik zo abrupt was gestopt.

Ik deed mijn zonnebril af, drukte mijn wijsvinger op het laatste cijfer van het inwoneraantal en bekeek mijn vingertop. Naast het papiersneetje dat ik mezelf gisteren had toegebracht, zat zwarte verf. Ik wreef de toppen van mijn duim en wijsvinger tegen elkaar en keek nog eens goed naar het nummer. Onder de pas geschilderde 1 was de 2 nog net zichtbaar. Waar de andere cijfers sierlijk en zorgvuldig uitgelijnd waren, was de 1 slordig aangebracht en de streep eronder iets naar links doorgeschoten.

Ik speurde de weg af die in de verte in een stip eindigde. Hij was leeg. Toch had iemand kortgeleden het getal waar mijn vingerafdruk nu pontificaal op stond, aangepast. Ik vond het een vreemde en harteloze actie. Martha Mulder werd iets meer dan een week vermist, maar dat wilde niet zeggen dat ze dood was, noch dat ze Quisco had verlaten.

Ik nam aan dat dit naambord ooit door Jeremiah Quisco de grond in was geslagen, want het zag er eeuwenoud uit. Het hout was overdwars gespleten in een starre glimlach en werd door vijf roestige krammen bijeengehouden. De plattegrond van Quisco was van een aandoenlijk amateurisme, uitgevoerd in overwegend blauwe en groene tinten. De zee stroomde langs de landtong en op de bibberige horizon balanceerde een bootje. Smalle lichtbruine strepen moesten de wegen voorstellen, donkergroene stippen de bomen en precies in het midden van de plattegrond was een huis afgebeeld. In de linkerbovenhoek stond een kinderlijk portret van een man met donkere ogen, een lange baard en een hoed. Boven zijn hoofd zijn initialen: J.Q.

Een schaduw viel over me heen en ik keek omhoog. De roofvogel vloog rechtdoor en keerde met een ruime bocht. Recht boven mijn hoofd slaakte hij een kreet en verdween met een zwiep van zijn vleugels.

Na een paar kilometer veranderde de woestijn in een rotsachtig landschap en versmalde de weg tot één rijstrook. Het asfalt eindigde zo plotseling dat mijn bumper met een klap op de onverharde weg knalde. Tegelijkertijd viel de radiozender uit. Ik draaide aan de tuningknop, maar hoorde alleen maar ruis.

Naarmate ik vorderde, werden de vlaktes links en rechts van mij steeds smaller tot ik op een gegeven moment tussen twee ravijnen door reed. Mijn dieptevrees sloeg toe. Terwijl ik mijn ademhaling onder controle probeerde te houden, concentreerde ik me op de weg, die zich na een paar kilometer verbreedde. Weer reed ik tussen twee vlaktes door, alleen was de woestijn hier niet rood, maar zandkleurig. Bij die observatie begon mijn rechterarm onbedaarlijk te trillen. Ik haalde mijn hand van het stuur en liet hem in mijn schoot rusten. Mijn aandoening was door meerdere artsen onderzocht, maar niet één kon uitsluitsel geven over de oorzaak van die spastische beweging die onverwacht kwam opzetten en na een paar minuten weer verdween.

Toen ik Quisco naderde, zag ik tot mijn verbijstering dat het plaatsje omringd was door groen. Die overdadige beplanting druiste in tegen alle ecologische wetten en maakte Quisco tot een oogstrelende oase in een droog en dor landschap. Het bevreemdde mij dat in het dossier geen melding stond van dit unieke verschijnsel. Terwijl ik verbaasd om mij heen keek, reed ik Quisco binnen en draaide mijn raampje open. De wind streek liefdevol over mijn gezicht en de zon brandde op mijn onderarm. Traag reed ik door de stille straten en ving hier en daar een glimp op van een wit huis achter het dichte groen. Ik reed onder een rij eeuwenoude platanen door en kwam uit op een plein omgeven door witte gebouwen. Zo te zien waren alle facilitaire voorzieningen op deze plek samengebracht. Ik zag een paar winkels, en ook het stadhuis was hier gevestigd. Tegen het gebouwtje ernaast leunde een ladder. De man die erop stond, vervolmaakte met zijn kwast de K van het woord BIBLIOTHEEK. In het midden van het plein was een kleine rotonde met daarop een metershoog standbeeld van Jeremiah Quisco die ik herkende van het plaatsnaambord. Vanonder zijn borstelige bronzen wenkbrauwen keek hij op mij neer. De naambordjes op de paal die hij met twee handen vasthield, wezen naar de wijken waar de wegen die op het plein uitkwamen naartoe leidden.

Ik wist dat want toen tante Selma mij had laten weten hoe ik bij haar huis moest komen, vertelde ze dat ik op het plein het bordje zou vinden dat de richting naar haar woonwijk Prudentia aangaf. De andere wijken heetten Justitia, Temperantia en Fortitudo. Ik vroeg me af of de inwoners de vier kardinale deugden aan Jeremiah toeschreven of aan zichzelf.

Ik passeerde een eetgelegenheid en aangezien ik te vroeg was – ik had Selma gezegd dat ik in de namiddag zou arriveren – leek het me een goed idee daar wat tijd door te brengen. Dan kon ik meteen met de lokale bevolking kennismaken. Ik reed de enige vrije parkeerplaats op, pal voor de deur, en bekeek de gevel waar in zwierige pistachekleurige letters ETEN & DRINKEN op stond. Mijn ogen gleden naar beneden en instinctief maakte mijn hoofd een achterwaartse beweging. Vanachter de ramen keken de klanten me stoïcijns en met malende kaken aan.

Ik onderdrukte de neiging met gierende banden weg te rijden – een reactie die mij verbaasde want ik was niet angstig aangelegd – en terwijl ik uitstapte voelde ik hun taxerende blikken. Ik mat mezelf een doelbewuste houding aan en nam de traptreden naar de ingang. Op het moment dat ik de deur opentrok, verstomden de gesprekken. Ik hoorde de luxaflex tikken tegen de deur die achter mij was dichtgevallen, trok mijn pet van mijn hoofd, duwde mijn zonnebril omhoog en liep naar de bar. De geur van koffie en geroosterd brood, die in een andere context altijd een kalmerende uitwerking op mij had door de associatie met een doodnormale dag uit mijn leven, maakte mij nu onrustig. Vriendelijk knikte ik naar de aanwezigen en wees naar een lege kruk.

'Pardon. Is deze vrij?' vroeg ik aan de mannen die aan weerszijden zaten. Het viel me op dat mijn stem klonk alsof ik de baard in de keel had, en ik kuchte. De mannen keken elkaar aan, toen naar mij, knikten simultaan en bogen zich over hun bord. Om mij heen werden gesprekken en handelingen hervat.

'Dank u.' Mijn stem klonk nog steeds als die van een kind. Ik kuchte weer, ging op de met rood nappaleer beklede kruk zitten en trok de menukaart naar me toe die, bezwijkend onder de druk van het aanbod, kromgebogen in een metalen houder stond.

Ik keek naar de woorden zonder ze in me op te nemen en hoorde lichte voetstappen mijn kant opkomen.

'Kan ik u helpen?' vroeg een vrouwenstem.

Ik toverde een glimlach op mijn gezicht, liet de menukaart zakken en keek recht in de brillenglazen van een extreem dikke man. Zijn derde onderkin eindigde in de hals van zijn T-shirt. Op zijn borst stond het logo van de lunchroom: een omgevallen buffelhoorn waar allerlei etenswaar uit rolde. Daaronder zat een naamspeldje dat deels wegviel in een plooi van zijn shirt. Ik las 'rry' en gokte op Barry. Opvallend was dat Barry niet zweette, noch rood of buiten adem was. Zijn gewicht leek hem niet te deren. Ook zijn bril sprong in het oog, de glazen zo dik dat ze zijn ogen onnatuurlijk groot maakten. Nadat ik koffie had besteld en hem zei dat ik de kaart nog even wilde bekijken, liep hij met een zwevend loopje en licht heupwiegend bij me vandaan. Hij kwam me op de een of andere manier bekend voor. Ik merkte dat ik hem met halfopen mond nastaarde dus wendde ik mijn ogen af en klapte mijn mond dicht.

'U bent nieuw hier.' Het kwam van de man links van mij die net een stuk van zijn uitsmijter afsneed.

'Ja. Ik kom net aan.'

Hij nam een hap, plukte een strengetje gesmolten kaas uit zijn mondhoek, keek ernaar en stopte het in zijn mond. Onder het kauwen tikte hij met zijn vork tegen zijn lippen, terwijl hij me nietszeggend aanstaarde. Na de laatste slikbeweging van zijn adamsappel vroeg hij: 'Eerste keer?'

'Ja.'

Hij boog zich over zijn bord en sneed weer een stuk af. 'Dan heet ik u van harte welkom. Wat brengt u naar Quisco?'

'Ik kom logeren. Bij mijn oudtante.'

'En wie mag dat dan wezen?' Zorgvuldig bracht hij de hap naar zijn mond.

'Mevrouw Le Bon.'

De man stopte halverwege zijn handeling. Tergend langzaam scheurde het met ei doordrenkte stuk brood doormidden en het belandde met een zompig geluidje op zijn bord. 'Sorry, maar... oudtante? Van u? Selma?'

'Ze is de zus van mijn oma.'

'Vreemd. Ze heeft nooit iets verteld over familie.' Hij nam de halve hap en kauwde nadenkend. 'Vertel eens. Hoelang blijft u bij ons?'

Onderweg hiernaartoe had ik besloten niets los te laten over het artikel dat ik van mijn chef moest schrijven, want de kans was groot dat de gelederen zich direct zouden sluiten. 'Dat weet ik nog niet. Ik kom wat uitrusten. Ik heb nogal wat meegemaakt, ziet u, en...'

'Dan bent u bij ons in goed gezelschap,' zei hij en trok zijn bord naar zich toe op een manier waaruit bleek dat ons gesprek was beëindigd. Ik richtte mijn blik weer op de menukaart. Het viel me nu pas op dat er geen prijzen bij de gerechten stonden.

'Heeft u een keus kunnen maken?' tetterde de castratenstem van Thierry onverwachts in mijn oor.

Ik wees naar het bord van mijn buurman. 'Dat ziet er goed uit, doet u mij ook maar een uitsmijter.'

'Zonnige zijde naar boven?'

'Pardon?'

Thierry sloeg zijn ogen ten hemel. 'De dooier. Heel of kapot?'

'Kapot.'

'Kaas?'

'Ja, graag.'

'Meegesmolten?'

'Heel graag.'

Thierry zette een kop dampende koffie voor me neer en liep door de klapdeurtjes de keuken in. Terwijl ik een excuus mompelde, leunde ik iets over mijn voormalige gesprekspartner heen en trok het dienblaadje met suiker en melk naar me toe.

'U komt zeker voor mevrouw Mulder,' zei hij.

'Die vrouw die vermist is? Nee, hoor.'

'Volgens mij wel. Volgens mij bent u journalist.'

Hoe wist hij dat? Ik zou het fantastisch vinden als ik als zodanig werd herkend, maar ik had bepaald geen bekende kop. 'Was,' antwoordde ik, niet geheel onwaar aangezien dit hoogstwaarschijnlijk de laatste kans was mezelf bij de krant te bewijzen. 'Maar ik ben in een andere hoedanigheid in Quisco.'

'In welke hoedanigheid?'

Bemoeial. 'Als gast,' antwoordde ik en prees mezelf voor mijn geduld en voor het feit dat mijn irritatie niet in mijn stem doorklonk.

Meewarig schudde de man zijn hoofd. 'Eens een journalist, altijd een journalist.' Hij drukte zijn duim op zijn borstkas. 'Ik kan het weten. Ik ben hoofdredacteur van *Quisco Nieuws*.'

'Aha,' zei ik en pakte met een bedankje mijn uitsmijter van Thierry aan.

'Ik ruik een journalist op kilometers afstand.'

'Dat ruikt-ie, ja,' zei Thierry terwijl hij zijn handen aan de thee-doek afveegde die aan zijn broekband hing.

'Waar werkt u?'

Ik vertelde de hoofdredacteur dat hij het goed had geroken, dat ik freelancer was en mijn stukken verkocht aan degene die ze wil-de hebben. 'Als er meer gegadigden zijn, gaat het naar de hoogste bieder,' voegde ik er lachend aan toe, 'maar nu even niet.'

'Nu even niet is voor een journalist een onmogelijke opgave. Het zit in je bloed. En dan heb ik het niet alleen over onze aange-boren nieuwsgierigheid. Een rasechte journalist wil zijn lezers informeren over zaken die verborgen zijn en verborgen moeten blijven. Het is aan ons die boven tafel te krijgen.'

Ik dacht er precies zo over. Het probleem was alleen dat mijn hoofd daar de laatste tijd niet naar stond. Het zat vol met niks. Het voelde vreemd, alsof ik er niet bij kon, alsof het hersendeel waar mijn ideeën uit ontsproten en het deel waarmee ik schreef hadden besloten een bordje VERBODEN VOOR ONBEVOEGDEN op te hangen en ik de onbevoegde was.

'Dat ben ik met u eens, maar ik heb een sabbatical.' Ik sneed mijn uitsmijter in stukken en nam een hap.

'Ik hoop dat het u lukt uw brein tot stilstand te brengen. Doet u Selma de groeten van me.' Hij stapte van zijn kruk en stak zijn hand uit. 'Ik ben Alberto. Alberto Meier.' Op het moment dat ik zijn hand wilde pakken, stak hij zijn vinger naar mij uit. 'Niet ver-geten de groeten te doen, hè?'

Beduusd liet ik mijn hand zakken.

Alberto wendde zich tot Thierry, wees met zijn duim naar mij en zei op luide toon: 'Geef deze nieuweling na zijn uitsmijter een van je befaamde gehaktballen van me. Hij kan wel een volle maag gebruiken als hij bij Selma gaat logeren.'

Het lachen begon bij mijn andere buurman en na een paar seconden schaterde de voltallige klandizie het uit. Ik herkcnde die lach. Het was niet de gemeenschappelijke lach die verbroederde, maar de ons-kent-ons-lach van een groep tegenover een eenling. De enige die niet meelachte was Thierry die mij een begripvol klopje op mijn hand gaf. Ik vroeg om de rekening en mompelde iets over haast.

'Echt? Je hebt je bord geneens leeg. En die gehaktbal dan?'

'Dat komt de volgende keer wel.'

Thierry schreef een getal op een papiertje en legde het op een schoteltje dat hij voor mij neerzette. Het was een belachelijk laag bedrag. Ik liet een veel te hoge fooi achter en vertrok.

In de veiligheid van mijn auto zoog ik de warme lucht diep in, blies langzaam uit en lachte. Er kwam een nerveus gehinnik uit. Wat was dit? Waarom reageerde ik als een onzekere puber? 'Kom op,' mompelde ik en stak de sleutel in het contact. Het harde ronkende geluid van mijn auto, dat ik altijd stoer en uniek vond klinken en bovenal perfect passend bij mijn imago, klonk nu ordinair en aanstellerig.

4

OMDAT IK nog steeds te vroeg was, nam ik dezelfde weg terug en draaide de eerste straat links in. Gevoelsmatig reed ik zo naar het huis van de Mulders dat ik op de heenweg had zien liggen omdat het boven de omliggende huizen en bomen uit torende. De weg eindigde in een bospad, zo smal dat het gebladerte tegen mijn ramen sloeg en takjes piepend langs de zijkanten van mijn auto schuurden. Na ongeveer driehonderd meter doemde het huis voor me op.

Ik liet de auto stationair draaien en bekeek het architectonische gedrocht. De huizen die ik tot nu toe had gezien waren allemaal wit en hadden veel weg van Engelse cottages. Het donkerbruine huis van de Mulders vormde een dissonant. Het had drie verdiepingen en het puntdak was bedekt met leien dakpannen. In de dakgevel zaten twee ronde ramen met vitrage die alleen de bovenste helft van de ruiten bedekte waardoor het leek alsof het huis me van onder geloken oogleden wantrouwend en een tikkeltje arrogant aankeek.

Door haar verdwijning was Martha Mulders levenswandel in de openbaarheid gekomen. Martha, die voor haar huwelijk Martha Werner heette, had zich daags na haar achttiende verjaardag in Quisco ingeschreven. Volgens haar moeder, die in elk interview op een vreemdsoortige, haast trotse manier liet weten dat ze nooit meer contact met haar dochter had, wist Martha al op jonge leeftijd dat ze geen kinderen wilde. Martha dacht dat ze zich in Quisco thuis zou voelen omdat ze ergens wilde wonen waar mensen haar keuze respecteerden, vertelde haar moeder. Op haar vijfentwintigste, Martha had net haar studie medicijnen cum laude afgerond, ontving ze een brandbrief van de burgemeester van Quisco. Hun huisarts was overleden en ze zochten met spoed een vervanger. Martha stond als enige arts ingeschreven en was meer dan welkom. Ze zegde toe de vacature te zullen vervullen onder voorwaarde dat haar echtgenoot Peter Mulder mee mocht. Dit werd akkoord bevonden en het stel kreeg het huis toegewezen waar alle opeenvolgende huisartsen van Quisco hadden gewoond; het huis dat Jeremiah, die zich naast leider ook als geneeskundige had opgeworpen, eigenhandig had gebouwd.

Alles verliep voorspoedig, totdat Martha, tot ieders consternatie, zwanger werd. Toen ze acht maanden in verwachting was, sloeg het noodlot toe. Peter Mulder was dakpannen aan het vervangen die na een storm van hun huis waren gewaaid. Hij gleed uit en kwam met een klap in het rozenbed terecht waar Martha al snoeiend op haar knieën voor zat. De schok die dit bij Martha teweegbracht, veroorzaakte vroegtijdige weeën.

Martha's moeder liet niet na te verkondigen dat zij ervan overtuigd was dat Peter Mulder door een van de inwoners, door haar consequent 'barbaren' genoemd, van het dak was geduwd om een schok bij Martha teweeg te brengen met als gevolg de dood van het – in Quisco ongewenste – kind. Ik vond het een onzinnige beschuldiging, en als het al zo was, mislukte die actie jammerlijk, want drie uur na het overlijden van Peter Mulder werd in Quisco, voor het eerst sinds haar stichting, een kind geboren. Het was een meisje.

De media-aandacht rond Martha's verdwijning vond ik bovenmatig. Er verdwenen dagelijks mensen, dus waarom juist die van haar zo breed in de pers werd uitgemeten, was mij een raadsel, tot mijn chef mij erop wees dat er voor het eerst sinds jaren (hij sprak het uit als: jáááren) iets over Quisco naar buiten kwam. De media hadden er lucht van gekregen omdat de burgemeester van Quisco, toen Martha onvindbaar bleek, de hulp van het politieapparaat van West had ingeroepen en in West hadden ze wel contact met de buitenwereld.

Terwijl ik in mijn auto zat, starend naar het huis van de Mulders, zag ik het triomfantelijke gezicht van mijn chef voor me terwijl hij mij opdracht gaf naar Quisco te gaan. Daar zat ik dan, op pad gestuurd om een artikel te schrijven waar niemand op zat te wachten. Over de verdwijning van Martha Mulder was alles al gezegd.

Vloekend sloeg ik mijn handen op het stuur en raakte per ongeluk de claxon, waarop de struiken links van mij woest heen en weer begonnen te bewegen. De geüniformeerde man die vervolgens het bospad op stapte, ging wijdbeens naast mijn auto staan en maakte een draaiende beweging met zijn vuist terwijl hij mij met opgetrokken wenkbrauwen observeerde. De sheriff – dat bleek uit de flonkerende koperen ster op zijn linkerborst – inspecteerde de inhoud van mijn auto en keek toen weer naar mij, zijn wenkbrauwen nog steeds in de hoogste stand. Zweet liep in straaltjes langs zijn slapen en haarsliertjes plakten aan zijn voorhoofd. Zijn buik bulkte over zijn holsterriem, die hij zo strak had aangetrokken dat ter hoogte van de gesp witte streepjes als zwangerschapsstriemen in het leer stonden.

'Sheriff?'

'Goedendag.' Hij legde zijn arm op het autodak, stak de andere in zijn zij en leunde mijn raampje in. 'Wat brengt u hier als ik vragen mag?'

'Ik kom familie opzoeken, sheriff.'

'En u bent?'

'Evander Clovis.'

Hij tikte een paar keer op zijn ster. 'Ik ben sheriff Cordon. U bent dus familie van de Mulders?'

'Nee, excuses, ik druk me verkeerd uit. Ik ben hier om mijn oudtante te bezoeken. Wellicht kent u haar? Mevrouw Le Bon?'

De sheriff trok zijn wenkbrauwen bij elkaar. 'Selma? Echt? Ik wist geeneens dat ze familie had,' zei hij en roffelde met zijn vingers op het dak. Irritant.

'Ik weet het zelf pas sinds kort. Mijn oma...'

'U heeft haar nog nooit ontmoet?'

'Nee, dat gaat straks voor het eerst gebeuren.'

Misschien kwam het door de gedachte aan Selma dat hij moest glimlachen of door de combinatie van Selma en mij. Ik vroeg er maar niet naar.

Hij wees naar het gesloten toegangshek van de Mulders. 'U bent verkeerd gereden. Selma woont aan de Landhuislaan in Prudentia, in een heel andere wijk.'

'Ik weet het, maar ik was iets te vroeg, dus dacht ik...'

'... ik rij even naar het huis van mevrouw Mulder, de vrouw die verdwenen is. U bent ramptoerist?'

'In geen geval!'

'Hoelang blijft u in Quisco?'

'Daar heb ik nog geen beslissing over genomen.'

'Dan wil ik u vriendelijk verzoeken gedurende uw verblijf uw nieuwsgierigheid te bedwingen en Josie met rust te laten.'

'Josie?'

'Mevrouw Mulders dochter.'

Haar dochtertje woonde hier dus nog. Ik was ervan uitgegaan dat ze door iemand was opgevangen en het huis leeg zou staan. 'Sorry, het was niet mijn bedoeling haar te storen.'

De sheriff keek naar het huis. 'Het is een eenzame ziel, Josie. Nu helemaal. Enfin. Fijn dat wij elkaar begrijpen. Kunt u Selma's huis vinden of zal ik voor u uitrijden? Ik breng u er met alle plezier naartoe.'

'Dank u, maar dat is niet nodig, ik vind het wel.'

'Goed. Doe Selma de groeten.'

'Gaat u haar nog vinden, denkt u?'

De sheriff vouwde zijn armen voor zijn borst, waarmee hij zijn mouwnaden tot het uiterste rekte. 'Daar doe ik geen uitspraken over,' zei hij op gedragen toon. 'We moeten de goden niet tarten. Maar het lijkt of ze van de aardbodem is verdwenen. De anderen hebben haar ook niet gevonden.'

'Anderen?'

Hij leunde met beide handen op mijn portier. 'De jongens uit West. We moesten hulp van buitenaf inschakelen. Achteraf gezien was dat een stomme zet. Los van het feit dat een of andere idioot in West het in zijn hoofd haalde de verdwijning van mevrouw Mulder wereldkundig te maken, was het zinloos. We hebben het hele gebied doorzocht, maar ze blijft onvindbaar,' zei hij en sloeg zichzelf hard op zijn wang, mompelde 'rotbeesten', en veegde het insect van zijn gezicht. Een dun bloedspoor bleef achter.

'Ze kan toch gewoon vertrokken zijn?'

Hij schudde zijn hoofd. 'Onmogelijk.'

'Waarom bent u daar zo zeker van?'

'Met achterlating van haar praktijk? Nee, dat zou mevrouw Mulder nooit doen.'

Hij vergat het kind. 'En haar kind?'

'Natuurlijk, haar kind. Nou, ik wens u nog een fijne dag.'

'Toch vind ik het vreemd dat u geen geloof meer hecht aan een goede afloop.'

'Hoe komt u daarbij?'

'Ik passeerde net het naambord van Quisco, en ik...'

'Ah, dat.' Hij glimlachte knikkend. 'Een relikwie uit vervlogen tijden. Het is ons allen zeer dierbaar.'

'Ik zag dat het inwoneraantal is aangepast.'

'Pardon?'

'Ik vroeg me af waarom dat nu al was gedaan. Of is het onderzoek wat u betreft afgerond?'

'Het inwoneraantal? Op dat bord? Weet u het zeker?'

'Minus een persoon.'

Sheriff Cordons vingers roffelden weer op mijn dak terwijl hij voor zich uit staarde. Ik rook zijn zweet en onderdrukte de neiging mijn raampje dicht te draaien. Aan zijn politiekoppel hing een paar handboeien en er stak een zaklantaarn uit. Zijn pistoolholster was leeg. Merkwaardig. 'De verf was nog nat, ziet u, en...'

'Nat?'

'Ja, het laatste cijfer, de 2, is overgeverfd. Er staat nu een 1. Het moet vlak voordat ik langsreed gebeurd zijn.' Als bewijs stak ik mijn wijsvinger naar hem op. 'Kijk.'

Hij legde zijn handen op zijn knieën en bekeek mijn vingertop aandachtig. 'Hm. Vreemd.'

'Dat vond ik ook.'

Hij keek me aan alsof hij overvallen werd door een geniale ingeving en zei: 'Weet u wat? Ik ga onmiddellijk de burgemeester hiervan op de hoogte stellen. Veel dank voor de melding.'

'Graag gedaan. Ik vond het nogal voorbarig, eerlijk gezegd.'

'Daar heeft u volkomen gelijk in. Dat is het zeker. Onbetamelijk ook. En zeer vervelend voor Josie. Dat mag ze niet weten, dat... dat zou traumatiserend voor haar kunnen zijn. Ze is al zo... Ik ga er meteen werk van maken, en vergeet Selma niet de groeten te doen.'

Ik beloofde het, startte mijn auto en reed achteruit terug. Terwijl ik wegreed, keek ik even naar voren en stak mijn hand op.

Wijdbeens en met zijn handen in zijn zij keek de sheriff me na. Schuin achter hem, achter het hek van de Mulders, stond een kind. Het meisje had een spierwitte huid, zo wit dat ze licht leek te geven. Haar armen hingen langs haar lichaam, als verlengstukken van de witblonde vlechten die tot aan haar middel reikten. Voordat ik de bocht nam, keek ik nog een keer. Sheriff Cordon stond er nog steeds, maar Josie was weg.

5

DE TWEE manshoge buxussen stonden als poortwachters naast het tuinhekdeurtje. Ik stapte eroverheen. Een smal pad, begrensd door struiken met rozen zo groot als theeschotels, leidde naar de veranda. Vergezeld van het geknars van schelpenzand onder mijn voeten, liep ik naar het huis dat er petieterig uitzag en waarvan de rieten kap als een te ruim bemeten pruik zwaar op de muren leunde. Ik was halverwege het pad toen de voordeur openging. De vrouw sloeg haar armen over elkaar en nam mij vanaf de veranda schaamteloos op. Uit haar gezichtsuitdrukking kon ik niet opmaken of het haar beviel wat ze zag. Ik hief mijn hand. 'Goedemiddag. U bent mevrouw Le Bon?' Ze knikte.

Toen ik naast haar stond, kantelde ze haar gerimpelde gezicht en bood mij haar wang aan. Ik zakte een beetje door mijn knieën en drukte er een kus op. Haar huid voelde zacht en klam. Ze had donshaartjes op haar wangen en rook naar wilde perziken. 'Jij mag Selma zeggen,' zei ze en ze trippelde het huis binnen. In de gang wuifde ze naar een openstaande deur. 'Ga daar maar zitten.'

Binnen bleek het verbazingwekkend ruim. Twee ventilatoren, die tevens dienstdeden als plafondlamp, hingen tussen de balken. Aan de zijkant van de woonkamer was een erker die Selma als schilderruimte gebruikte. Het onderhanden werk stond op een ezel en was met een doek afgedekt. Tegen de muren van de woonkamer hingen bloemstillevens, allemaal rozen en stuk voor stuk uitgevoerd in eenzelfde naïef expressionistische stijl. Een driepersoonsbank domineerde de inrichting. Ertegenover stond een leunstoel die zijn beste tijd had gehad. Op de salontafel lag een stapel tijdschriften. Ik bekeek het bovenste. Er stond een breed lachende Papoea op het omslag met een balpen in zijn neustussenschot en een rolletje plakband als piercing in zijn oorlel.

'Ga zitten, ga zitten, ik heb een versnapering voor je,' zei Selma. Ze zette een dienblad op de tijdschriften en reikte mij een schoteltje aan waar een muffin op lag. Hij zat verstopt onder een dikke glazuurlaag die versierd was met zilverkleurige balletjes. Naast elk balletje stond een halvemaanvormige nagelafdruk in het glazuur. 'Hier,' zei ze. 'IJsthee.' In het lichtbruine vocht dreven twee ijsklonten in de vorm van dolfijnen.

Selma leek van geen kanten op oma. Om te beginnen was ze zeker drie koppen kleiner, en in haar gezicht kon ik ook geen gelijkenis ontdekken. Ze had geen wenkbrauwen. Wellicht kwam het door de ouderdom, of had ze ze ooit rigoureus geplukt.

'Jij bent dus Evander.' Haar stem had een opvallend jeugdige klank. Ze ging in de stoel zitten, sloeg haar onder pigmentvlekken bedolven zonverbrande beentjes over elkaar en begon met haar voet te wiebelen. Bij elke beweging sloeg haar slipper met een zachte tik tegen haar eeltige hiel.

Ik kon geen antwoord geven op haar retorische vraag, aangezien mijn mond vol zat met de eerste hap van de muffin, die zo droog was als beschuit. Ik nam een slok ijsthee, slikte de drab moeizaam door en hoestte. 'Ja,' piepte ik.

'Wat kom je doen?' vroeg ze terwijl ze met haar vinger in haar glas roerde.

Oma had me gezegd dat ik aan Selma zou moeten wennen. Op mijn vraag waarom, had oma geantwoord: 'Ze is niet makkelijk. Ze kan, tja... hoe zal ik het zeggen... nogal onverwacht uit de hoek komen. Ze is erg eerlijk. Uit principe.' Mooi, had ik toen gedacht want ik houd van principieel eerlijke mensen. 'Ik heb u toch verteld dat het de wens van oma was dat wij met elkaar kennis zouden maken?'

Het losse velletje onder haar kin bewoog ritmisch mee op het schudden van haar hoofd. 'Evander, dat het jouw oma was, wil nog niet zeggen dat iedereen haar zo noemde. Laura heette ze.' Dramatisch sloeg ze haar ogen ten hemel. 'Oma. Alsof het een of ander fictief karakter betreft. Wat een onzin.' Ik begon te begrijpen wat oma had bedoeld. Maar er zat iets in, in wat ze zei. 'Alsof ze geen vrouw was met een eigen leven, alleen oma. Ik erger me daar altijd enorm aan.'

Ik zette het schoteltje met de muffin terug op het dienblad en zei grinnikend: 'Dat merk ik.' Ik hoopte daarmee het ijs te breken, maar Selma vertrok geen spier.

'Vertel maar,' zei ze.

'Wat?'

'Nou, wat je komt doen natuurlijk. Mijn god, dan hebben ze het over aftakeling bij oude mensen. Vertel. Vertel ik je daarna

over Laura en mij.' Twinkelden haar ogen of was het mijn verbeelding? Ik opende mijn mond om haar uit te leggen dat ik een zware tijd achter de rug had (deels gelogen), dat mijn relatie was be-
eindigd (ongelogen) en dat ik hier was om te rusten, te wandelen
en na te denken (gelogen), maar ik kreeg geen kans, want ze boog
zich voorover en schoof het schoteltje naar me toe. 'Alsjeblieft,
jongen, eet maar lekker op. Je weet dat Laura en ik gebrouilleerd
waren?'

'Nee? Eerlijk gezegd wist ik niet eens dat u bestond.'

'Dacht ik al. Typisch Laura. Altijd mooi weer spelen. Weet je
waarom we geen contact meer hadden?'

'Geen idee.'

'Ze heeft mijn man van me afgepakt.'

Ik verslikte me in de muffin waar ik uit beleefdheid weer een
hap van had genomen. Een brokje schoot mijn luchtpijp in en ik
begon te hoesten. Selma kwam uit haar stoel omhoog, legde haar
hand op mijn rug en gaf een paar klopjes. Het voelde als een flad-
derend vogeltje dat aan mijn T-shirt was blijven haken.

'Ja, dat is zeker schrikken. Daar kan ik me alles bij voorstellen,
zielig hè, voor je oudtante Selma,' zei ze terwijl ze haar hand op
mijn schouder liet rusten. Ik liet mijn hoofd tussen mijn benen
hangen, hapte naar adem en gebaarde naar mijn rug. 'Laura. Onze
Laura was perfect. Een lieve vrouw met een hart van goud die geen
vlieg kwaad deed, alles voor anderen overhad en nooit aan zichzelf dacht.' Ze trok het schoteltje uit mijn handen. 'Ha! Laat me
niet lachen. Laura was een egocentrisch kreng. Ik neem aan dat ze
je heeft verteld dat ik moeilijk ben in de omgang?' Selma boog
zich voorover tot haar gezicht naast het mijne hing. 'Kijk me eens

aan?' Ik keek opzij. Ze knikte en strekte zich. 'Ja, dat dacht ik al.' Ze snoof. 'Maar goed. Ik had dus een vriend. Weet je wie dat was?'

Ik rechtte mijn rug, haalde diep adem en blies hard uit. 'Nee?'

'Jouw opa,' zei ze en gaf met haar knokkels een tik op mijn hoofd.

'Au!'

'Ja, au,' zei ze en liep naar het raam. Terwijl ze naar buiten keek, rolde Selma met haar schouders, alsof ze zich van een last had ontdaan door mij dit nieuws te vertellen. Misschien voelde het voor haar ook zo. Haar eigen zus nota bene. Ik was enig kind – godzijdank – maar ik kon me voorstellen wat die ervaring bij haar teweeg had gebracht. Ik had mijn opa nooit gekend want toen ik werd geboren was hij al dood. Hoe hij heette wist ik wel: Valentijn.

'We waren gek op elkaar. Ja, ik kan wel stellen dat hij mijn grote liefde was.' Ze schoof de vitrage opzij en keerde het schoteltje om. Met een zachte plof belandde de muffin in de tuin. Ze draaide zich naar me toe. 'Weet je wat dat is? Je grote liefde? Wat dat inhoudt? Heb jij het ooit meegemaakt?'

'Nee, en dat gaat ook nooit gebeuren, want ik geloof er niet in.'

'Dat zegt iedereen wie het nooit is overkomen. Doe eens een gok. Hoe zou dat voelen?'

Het enige wat ik voelde was het stuk muffin dat ergens halverwege mijn luchtpijp hing en een pijnlijke druk op mijn borst veroorzaakte. 'Ik heb geen idee.'

'Gebruik je fantasie, man, je gevoel. Wat zit je jezelf op je borst te slaan?'

'Het doet pijn.'

'De pijn die ik voelde toen Valentijn mij voor jouw oma verliet, was vele malen heviger, dat kan ik je verzekeren. Laat je gedachten er maar eens over gaan, over je gevoel. We hebben alle tijd.'

Ik was bekaf, en het laatste waar ik behoefte aan had, was me bezinnen over wat ik voelde. Ik had het benauwd, stonk naar zweet en moest naar de wc. 'Ik moet naar de wc.'

'In de hal, eerste deur rechts. Denk er daar maar verder over na. Schijnt bij mannen goed te werken, nadenken op de wc.'

Met haar kakelende lachje in mijn oren trok ik de wc-deur dicht en bonkte zachtjes met mijn hoofd tegen de verjaardagskalender. Zou ik het hier uithouden? Die vraag sloeg nergens op, want het antwoord was van ondergeschikt belang. Ik hief mijn hoofd, staarde naar de lege lijnen van augustus en tilde de maand op. September was ook leeg en oktober ook, net als de rest van het jaar. In Selma's wereld was niemand jarig.

6

Verwachtingsvol keek ze op toen ik de kamer binnenliep. Het schoteltje met haar onaangeraakte muffin balanceerde op de stoelleuning. Ze zag dat ik ernaar keek, pakte het op en kieperde het zonder achterom te kijken het raam uit.

'En?'

'Ik heb niet nagedacht.'

'Nadenken is slechts weinigen gegeven. Je tante zal het je zeggen. Luister goed naar me. Luister je?'

'Jazeker.' Oude mensen. Doodvermoeiend.

'Je grote liefde is degene die je het leven gunt, die je de vrijheid geeft te zijn wie je bent. Dat is je grote liefde.'

'Opa?'

Er verschenen twee perfecte rozerode cirkeltjes op haar wangen en ze begon te stralen. Ik vond het pijnlijk om te zien. Wat was er voorgevallen?

'Je lijkt trouwens sprekend op hem, wist je dat? Hij was ook al zo lang. En je hebt zijn ogen, precies dezelfde fletsblauwe kleur.

En die donkere wimpers... Ja, je bent bijna even knap als Valentijn. Heb je een vriendin?'

Sinds kort niet meer. Toen ik een paar uur geleden de envelop van mijn deurmat raapte met Anna's hanenpoten erop, had ik er als een idioot naar geglimlacht. Ik vond het lief dat ze mij gedag wilde zeggen. Met een brief nota bene. Die nacht zou ik naar Quisco rijden en ik had geen idee hoelang ik weg zou blijven. Anna kon slecht tegen onzekere factoren in haar overzichtelijke bestaan. Mijn vertrek zou juist goed voor haar zijn, vond ik. Het leven loopt niet altijd zoals jij dat wilt, een voor Anna onbegrijpelijke notie. Dat bleek ook uit haar woorden.

Haar tekst was zorgvuldig opgesteld, veel zorgvuldiger dan haar karakter, want in Anna's hoofd was het een chaos. Uit haar woordkeus en zinsopbouw maakte ik op dat ze er veel tijd in had gestoken. Ik had er meteen een beeld bij. Daar zat ze in haar slaapshirt, die met die ijsbeer erop en de scheur bij de halsopening, haar haren in een slordige staart terwijl ze schreef en schrapte en schreef en schrapte en daar net zo lang mee doorging tot haar zinnen levenloos waren, haar woorden als geëlektrocuteerde vogeltjes op een geknapte elektriciteitskabel. Ze kon het niet meer aan, stond er. Ze wilde met mij verder maar dan ook helemaal. Ze was bijna dertig, ze wilde samenwonen, een gezin stichten. Ze wilde doen wat anderen doen, en ze was bang dat ze met mij het ultieme geluk nooit zou beleven. Ze schreef dat ik, telkens als zij toenadering zocht, een stap terug deed. Ze vond het steeds moeilijker een connectie met mij te maken. Ik had hulp nodig en zij kende wel iemand: een kennis van een kennis van een goede vriend en de man stond goed aangeschreven. Denk er maar even over na in Quisco. Liefs, Anna.

Denk er maar even over na? Ik peinsde er niet over. Ik peinsde er ook niet over te doen wat anderen doen. Lekker voorbeeld. Het gaat inderdaad hartstikke goed met iedereen. Bovendien was Anna niet de eerste vrouw in mijn leven die onze relatieproblemen weet aan mijn mentale toestand en haar eigen rol in het geheel voor het gemak buiten beschouwing liet. Ik stelde een brief op met de mededeling dat ik onze relatie verbrak en stopte hem in haar envelop. Ik kraste mijn naam door, zette die van haar eronder en liet de envelop tegen de vaas op tafel leunen. Ik deed een stap naar achteren. Het dramatische effect van het tafereel kon mijn goedkeuring wegdragen en met een opgelucht gevoel vertrok ik een paar uur later naar Quisco.

'Nee, ik heb geen vriendin.'

'Wat? Geen vriendin? Hoe is dat mogelijk?'

'Mag ik vragen wat er tussen u beiden is voorgevallen waardoor het misliep?'

'Onze relatie was perfect, op één punt na. Valentijn had een allesoverstijgend verlangen. Het werd een obsessie. Enig idee wat dat zou kunnen zijn?' vroeg ze.

Het eerste wat door mijn hoofd schoot, was dat opa een of andere extreme seksfantasie had gehad waar oma niet in mee wilde gaan. Ik duwde die gedachte weg en schudde mijn hoofd.

'Hij wilde een kind.'

Een kind? Het was vrij ongewoon, een man met een allesoverheersende kinderwens, maar het kwam voor.

'Het beheerste op een gegeven moment zijn hele leven,' vervolgde ze. 'Ik werd er gek van. Helaas werd het een strijd. Ik wilde pertinent geen kinderen en hield voet bij stuk in de hoop dat het zou overwaaien en hij mij belangrijker vond dan een baby. Als ik aan die periode terugdenk... Ik had nooit verwacht dat hij bij mij weg zou gaan.'

'Voor Laura dus.'

'Zij kon zijn wens in vervulling laten gaan. Niet dat Laura om een kind zat te springen, maar zij zat anders in elkaar. Om hem zat ze namelijk wel te springen. Laura wilde altijd hebben wat ik had. En zij was zo'n vrouw die vond dat het krijgen van kinderen er nou eenmaal bij hoort. Ik was anders en dacht er wel degelijk over na. Die druk, die verantwoordelijkheid, die afhankelijkheid van een wezen, afhankelijk van mij voor het levensgeluk. Ik kon dat helemaal niet aan.'

'Heeft u daar ooit spijt van gehad?'

'Geen seconde. Natuurlijk vond ik het vreselijk hem kwijt te raken. Maar ik ging geen kind op de wereld zetten om Valentijn bij me te houden. Dat vond ik te ver gaan. Bovendien zou een kind onze relatie verstoren. Ik wilde Valentijns aandacht voor mezelf hebben. Ook wist ik dat ik niet in de wieg was gelegd voor het moederschap. Ik wilde niet veranderen, ik wilde mezelf blijven.'

Volgens mij was haar dat uitstekend gelukt. Ik greep het bruggetje met beide handen aan. 'Martha Mulder was, eh... is de enige moeder in Quisco, toch?'

'Er wonen meer moeders in Quisco, alleen wonen hun kinderen elders. Niemand is in Quisco geboren, mensen komen zodra ze er klaar voor zijn.'

Ja, natuurlijk, stom dat ik daar niet aan had gedacht. 'Wat is er volgens u met Martha gebeurd?'

Er ontstond een denkrimpel in haar voorhoofd en ze beet op haar onderlip. 'Ik heb geen idee. Het is een nare kwestie.'

'Kan het zijn dat ze vertrokken is?'

'Weggegaan uit Quisco? Martha? Onmogelijk. Martha zou haar praktijk nooit achterlaten.'

Net als de sheriff noemde Selma het kind niet. 'En haar kind?'

'Haar kind ook niet.'

'Was Martha wel voor het moederschap in de wieg gelegd?'

'Hm... het ligt iets anders denk ik. Martha is... tja... nee, laat ik het zo stellen: Josie is geen makkelijk kind.' Ze dacht even na. 'Ik vind het moeilijk om uit te leggen. Josie is onpeilbaar. Je weet nooit wat er in haar omgaat. En ze is natuurlijk eenzaam. Ze heeft ons en haar fantasie. Dat is de wereld waar Josie in leeft, de wereld in haar hoofd.'

'Dat had ik vroeger ook.'

'Dan heb jij je vast vaak alleen gevoeld.'

'Ik barstte van de vrienden. In mijn fantasie dan,' voegde ik er lachend aan toe.

Vol mededogen keek Selma me aan. 'Ik begrijp het,' zei ze.

'Maar Josie is natuurlijk een ander verhaal. Ik kan me niet voorstellen hoe het is om op te groeien in een wereld met alleen volwassenen.'

'Nee? Jij had toch ook geen vriendjes? Dan zijn volwassenen de enigen die overblijven.'

'Ik overdreef.' Ze knikte en keek me begripvol aan. 'Wat ik wel apart vind,' vervolgde ik, 'is dat uitgerekend de huisarts van Quisco een kind krijgt. Die zou bij uitstek moeten weten hoe het menselijk lichaam functioneert.'

'Dat zou je inderdaad denken. Martha had geen idee dat ze zwanger was. Tijdens de vergadering legde ze uit dat ze...'

'Was daar een vergadering voor belegd? Ik mag toch aannemen dat zelfs hier iedereen weet hoe een vrouw zwanger raakt?'

'Ja, nogal wiedes, maar zoiets was bij ons nog niet eerder voorgevallen. Ze wilde ons uitleggen hoe het zat. Ook moesten we met haar bespreken of ze kon blijven.'

'Kon blijven? Een vrouw wegsturen omdat ze zwanger is? Ik vind dat nogal hardvochtig.'

Selma deed of ze me niet hoorde. 'Het kwam voor ons als een volslagen verrassing, maar ook voor haar en haar echtgenoot. Die twee waren zich lam geschrokken.'

'En iedereen geloofde haar?'

'Waarom zouden we haar niet geloven?'

'Ja, maar uitgerekend Martha...'

'Uitgerekend Martha, ja.'

'Zwanger worden in een omgeving waar het voor kinderen verboden is, lijkt me verre van ideaal.'

Ze zuchtte hard. 'Jij maakt dezelfde denkfout als iedereen. Kinderen zijn in Quisco niet verboden. We hebben ze gewoon liever niet. Maar we dwalen af, we hadden het over mij.' Ze keek naar het plafond. 'Waar was ik gebleven? O ja. Drie weken nadat onze verloving was beëindigd, kregen Valentijn en Laura een relatie. Die twee wonden er geen doekjes om. Je kunt je voorstellen dat ik er kapot van was. Ik kreeg geen hap meer door mijn keel en was vel over been. We woonden in dezelfde stad dus ik kwam ze regelmatig tegen. Het brak me op ze samen te zien, en toen Laura zwanger raakte, ben ik vertrokken.'

'U bent dus naar Quisco gegaan vanwege uw ideeën over kinderen?'

'Luisteren is ook een vak, Evander. Misschien moet je dat eens onder de knie zien te krijgen. Ik heb geen hekel aan kinderen. Integendeel. Dat er in Quisco geen kinderen rondbanjeren, maakt het er echt niet gezelliger op.'

'U bent wel onder gelijkgestemden.'

Ze begon te lachen. 'Gelijkgestemden, ja, zo zou je het kunnen omschrijven.'

'Ik moet er eerlijk gezegd niet aan denken om in Quisco te wonen, en ik ben vast niet de enige.'

'Het kan mij weinig schelen wat anderen denken. Niemand in Quisco kan het iets schelen. Onze geïsoleerde opstelling is een bewuste keuze. Vertel mij maar eens wat wij missen aan de rest van de wereld.'

'Nou...'

Ze tikte haar vingers af. 'We missen ridicule regelgeving en trainerende bureaucratie, we missen rijen, rijen, overal rijen, we missen zinloze informatie, we missen bemoeizucht en ruzies, we missen corrupte politici, we missen rotzooi en milieuvervuiling, we missen misdrijven...'

Ik stak mijn hand op. 'Ho, ho. Misschien hebben jullie nu ook te maken met een misdrijf.'

Ze stond op en keek me kwaad aan. 'Nou moet jij eens goed naar me luisteren, Martha is vermist.' Ze gooide haar armen omhoog. 'Vermist! Er kan van alles gebeurd zijn. Misschien heeft ze een ongeluk gehad, alles is nog mogelijk.'

Plots werd ik overvallen door een hevige vermoeidheid. Ik was op, leeg. 'Vindt u het goed als ik naar mijn kamer ga? Ik wil even liggen. De reis was...'

'Natuurlijk, ga je gang. Ik maak je over een uurtje wakker. We eten om vijf uur.'

'Vijf uur?'

'Vijf uur etenstijd.'

Ik stond op. 'O ja, dat wilde ik nog vragen. Waarom is het in Quisco zo groen? Het lijkt me bij uitstek iets dat algemeen bekend zou moeten zijn, want het is vrij wonderbaarlijk, maar ik heb er niets over gelezen.'

'Mensen zien alleen wat ze willen zien, dat weet je zo langzamerhand toch wel?'

'Maar...'

'Het groen is Jeremiah gegeven.'

'Wat bedoelt u?'

'Precies zoals ik het zeg. Toen Jeremiah dit land kocht, wist de verkopende partij niet dat er zich diep onder de grond een waterbron bevond. Voor Jeremiah kwam dat ook als een volslagen verrassing, maar wel een zeer welkome, dat kun je je voorstellen. Hij kwam erachter toen hij in het beginstadium van de bouw van zijn huis was. Na een dag graven in zijn bouwput, kwam hij de volgende ochtend op zijn bouwplaats. Tot zijn verbazing lag er een laag water in. Toen hij iets verderop een gat in de grond sloeg, gutste het water eruit. In de daaropvolgende maanden legde Jeremiah een ingenieus irrigatiesysteem aan waarmee hij zijn hele kavel van water voorzag. Zodoende. Kom, ik laat je je kamer zien.'

Ik pakte mijn plunjezak en liep achter haar aan. Halverwege de trap draaide ze zich om. 'Nog even dit,' zei ze. 'Denk niet dat je mij kunt uithoren over Martha Mulder.'

'Dat was geenszins mijn bedoeling.'

'Ha! Dat is grappig.'

'Wat?'

'Je liegt net zo slecht als je opa.'

7

SELMA LEGDE mij de werking van mijn kamer uit door de la-des van de commode open te trekken, de wastafelkraan open en dicht te draaien en de raamluiken te sluiten. Toen ze weg was, borg ik mijn kleren op, ging op bed liggen en sloeg *Een geschiedenis van Quisco* open.

'Quisco is de enige plaats in het land die met een Q begint. Het ligt in het zuidoosten, op een schiereiland dat als een uitgestoken wijsvinger aan het land vastzit.' Er stond dat ene Jeremiah Quisco de plaats had gesticht. 'Jeremiah was de benjamin uit een domineesgezin, de jongste van twaalf. In tegenstelling tot de rest van de familie verafschuwde hij de religie die zijn vader predikte.' Ik las dat Jeremiah op dertienjarige leeftijd uit het ouderlijk huis was gezet nadat zijn vader hem ervan beschuldigde verantwoordelijk te zijn voor de rampspoed die het gezin sinds zijn geboorte had getroffen. Tegenover de buitenwereld hield de vader vol dat de duivel in de jongen was geslopen, maar volgens mij konden ze hem missen als kiespijn, want op twaalf kinderen mis je er eentje niet. Jeremiah vertrok en vond emplooi op een boerderij waar hij een kamer van drie bij drie bewoonde die aan de deel grensde. Omringd door snuivende koeien en een meststank die, zo fantaseerde de auteur, zo diep in zijn huid doordrong dat het lichaamseigen werd, begon hij te fantaseren over zijn eigen land. Het was toen dat zijn ideologie vorm kreeg en hij zijn ideeën en levensfilosofieën opschreef.

Ik vond het allemaal nogal stug, maar het gaf wel een romantisch beeld. Jeremiah Quisco, schrijvend bij kaarslicht in zijn sobere kamertje waar hij droomde van een betere wereld. Volgens de auteur begon het Jeremiah na enige tijd te dagen dat een ideale wereld misschien te hoog gegrepen was, maar een ideale woonplaats met gelijkgestemden wel tot de mogelijkheden behoorde. Die plek moest hij zelf creëren. Toen ik dat las, bedacht ik dat Jeremiah waarschijnlijk tijdens zijn periode bij de boer erachter was gekomen dat je de wereld niet nodig hebt om een gelukkig leven te leiden. Gelukkig in zijn perceptie dan.

Jeremiah haalde zijn inspiratie uit verschillende bronnen: de natuur, de boerenfamilie waar hij voor werkte en de boeken die hij met stapels tegelijk kocht, van eenvoudige streekromans tot wetenschappelijke verhandelingen. Ook putte hij uit zijn eigen ervaringen. Wat voor ervaringen dat waren, stond er niet bij. Hij werkte, las, schreef en hield zich voor de buitenwereld verborgen. Dat leek mij ook wel wat. Eenzame afzondering, een beetje lezen en schrijven, en verder met niemand iets te maken hebben. Jammer genoeg bevond ik mij in een tegenovergestelde situatie.

Het schiereiland had, voordat Jeremiah zijn oog erop liet vallen, zo'n halve eeuw te koop gestaan. Daarom werd zijn belachelijk lage bod door de verkopende partij – een boer die het zich in een vlaag van verstandsverbijstering ooit had toegeëigend – zonder onderhandelingen geaccepteerd. De eerste dagen besteedde Jeremiah aan het opmeten van zijn kavel, zoekend naar het exacte middelpunt, want dat was waar hij zijn huis wilde bouwen. Toen hij die plek had gevonden groef hij een kuil van vijf meter breed, vijf meter lang en drie meter diep, bedekte die met takken en ging erin wonen. In de daaropvolgende periode stutte hij de kuil, verving de takken door dwarsbalken en bouwde er drie verdiepingen op. Meubels maakte hij zelf, en wat hij verder nodig had haalde hij uit West. Een paar maanden later liep Jeremiah met een naambord onder zijn arm naar de grens van zijn territorium en sloeg het de grond in. Volgens de auteur van het boek stonden op het bord naast de plaatsnaam ook een zelfportret van Jeremiah, een plattegrond en het aantal inwoners: 1.

Ik duwde de luiken open en kneep mijn ogen samen. Voor een namiddag was het onwaarschijnlijk helder, even helder als mijn geest. Ik voelde me uitstekend en besloot vaker overdag een tukje te doen. En om vijf uur eten bleek geen slecht idee, want ik barstte van de honger.

Mijn gastvrouw stond op een krukje achter een gasfornuis dat in een professionele keuken niet zou misstaan. Haar lichaam bewoog mee op haar roerritme en was gehuld in een witte nachtjapon met bloemetjes erop. Terwijl ze stond te roeren zakte een van de schouderbandjes af, dat ze met een geroutineerd gebaar omhoogschoof.

'Ik zie dat u al klaar bent voor de nacht,' zei ik met een lachje.

Ze draaide zich om en keek me verbaasd aan. Haar borsten hingen tot aan haar ellebogen en haar tepels schemerden als verdorde bloempjes door de stof heen. Ze stak de pollepel naar mij uit. Er zaten stukjes verbrande ui op en een klodder rode saus viel op de vloertegels. 'Je vergist je, Evander. Je sliep zo diep, dus streek ik met mijn hand over mijn warme hart en heb je laten liggen. Je hebt ongeveer zestien uur geslapen. Goedemorgen, Selma.'

'Wat?'

'Goedemorgen, Selma.'

Had ik zestien uur geslapen? Zestien uur? Dat had ik nog nooit gepresteerd.

'Goedemorgen, Selma.'

'Goedemorgen.' Ze begon weer te roeren. 'Dit is voor vanmiddag. Ik kook het liefst 's ochtends, dan kan ik me beter concentreren. Ik wil iets lekkers voor je maken.' Ze stapte van het krukje. 'Pak maar koffie.'

Ik deed wat me werd opgedragen en ging aan de gedekte keukentafel zitten. Selma zette twee schaaltjes met fruitsalade en een mand met brood op tafel. Op mijn bord plaatste ze een gekookt ei in een eierdop afgedekt met een gehaakte eierwarmer in de vorm van een parmantig kuikenhoofd. Ik trok de jampot naar me toe. 'Bramenjam' stond op het etiket. 'Maakt u die zelf?'

'Ik ben een bedreven kok, maar jam maken is een vak apart. Die maakt Dorothea, een vriendin van me. Zij struint de hele omgeving af op zoek naar bramen. We noemen haar de bramenjager,' zei ze met een lachje en ging zitten.

Bramen zoeken. Dat deed ik toen ik klein was met oma ook weleens. Ik schoof de pot terug. 'Heeft u veel vrienden?'

'Ach, vrienden. Wat zijn vrienden? We kennen elkaar allemaal natuurlijk. Naast Dorothea zijn er een paar mensen met wie ik wat vaker omga. Ik ben geen mensenmens. Dat zijn we hier geen van allen.' Ze keek naar het plafond en tikte met haar vork in het luchtledige terwijl ze haar lippen bewoog. 'Ja, vijf heb ik er, meer dan genoeg als je het mij vraagt. Maar of die mij ook een vriend noemen zal mij benieuwen.'

'Bevalt het u in Quisco?'

'Tja.' Ze prikte een sinaasappelpartje op haar vork, stak het in haar mond en kauwde geconcentreerd. 'Ik ben van mening dat de locatie waar je je bevindt secundair is als het gaat om je levensgeluk, want dat ligt primair bij jezelf. Maar als je mij vraagt of wonen in Quisco daaraan bijdraagt, zeg ik volmondig: ja. Ik zou nergens anders kunnen wonen en ben Jeremiah eeuwig dankbaar dat hij deze plaats heeft gesticht. Wij allemaal trouwens. Echt jammer dat hij er zelf maar zo kort van heeft kunnen genieten.'

'O?'

'Hij is op jonge leeftijd overleden. Zeer jong. Hij was pas vijfenvijftig.'

'Was hij ziek?'

'Nee, hij heeft zelfmoord gepleegd.'

'Zelfmoord?'

'Kan gebeuren.'

Dat kon zeker gebeuren, maar mensen met een doel, en Jeremiah was volgens mij een gedreven en doelgericht persoon, kiezen er over het algemeen niet voor hun leven te beëindigen. 'Waarom heeft hij dat gedaan? Is daar iets over bekend? Heeft hij iets achtergelaten?'

'Natuurlijk heeft hij iets achtergelaten,' zei ze en maakte een armbeweging naar het raam. 'Vind je het niet genoeg?'

'Nee, ja, ik bedoel een afscheidsbrief of iets dergelijks.'

'Zeker wel, een heel epistel zelfs. Als je het wilt lezen, het ligt in de bibliotheek. Arme man. Je kunt eruit opmaken dat hij teleurgesteld was.'

'Waarin?'

'In de mens. Hij had alles op alles gezet om Quisco tot een ideale woonplaats te maken en had de intentie zijn utopische samenleving mondiaal te verspreiden, op zijn minst landelijk. Hij kon het moeilijk verkroppen dat het hem niet was gelukt.'

'Nogal wiedes. Was hij soms van plan er met een leger op uit te trekken? Een soort kruistocht te beginnen?' grinnikte ik.

'Het ging om zijn gedachtegoed,' zei ze zuinig, 'niet om landjepik. Hij raakte gedesillusioneerd omdat hij buiten de mens en diens onvermijdelijke ondeugden had gerekend.'

'Ik vind dat een beetje naïef.'

'Mensen die denken dat een wereld waarin wij in vreedzame co-existentie met elkaar kunnen samenleven tot de mogelijkheden behoort zijn ook naïef, maar het streven ernaar kan geen kwaad.'

'Ik kan me voorstellen dat het een deceptie voor Jeremiah was. Als het je levensdoel is een ideale wereld te realiseren en je geen navolging krijgt, kan dat frustrerend zijn.'

'Wat ik je net vertelde over Jeremiahs motivatie is de gangbare theorie. Volgens mij zat er een heel andere reden achter en werd zijn depressie veroorzaakt door de liefde die hij moest ontberen.' Ze keek me aan met een blik alsof ze vond dat ik dit even moest laten bezinken.

'Was hij vrijgezel?'

'Weduwnaar. Zes maanden voor hij een eind aan zijn leven maakte, was zijn vrouw verdronken. Hazel heette ze. Ik denk dat dit verlies voor hem ondraagbaar was en hij daarom dood wilde, maar daar rept hij in die afscheidsbrief niet over. Ergens snap ik dat wel. Hij stelde zich ten dienste van Quisco en van ons. Wij kwamen op de eerste plaats. Maar zoals hij zelf schrijft: hij was ook maar een mens. Na Hazels dood ging het bergafwaarts met Jeremiah. Hij trok zich in zijn huis terug en op een dag werd hij daar dood aangetroffen. Misschien heb je het huis gezien? Het valt nogal op want het is het enige bruine huis in Quisco.'

Ik knikte. 'Hoe heeft hij zelfmoord gepleegd?'

'Als je met dat soort informatie je nieuwsgierigheid moet bevredigen, ben je bij mij aan het verkeerde adres. Hazel is trouwens degene die heeft bedacht dat alle gebouwen in Quisco wit moeten zijn.'

'O? Zijn er meer van dat soort onzinnige regels?'

'Misschien kun je je eerst afvragen waarom dat zo is in plaats van meteen je oordeel te vellen?'

Ik nam die mentale klap in ontvangst en vroeg waarom dat zo was.

Dromerig keek ze voor zich uit. 'Dat was me een type hoor, die Hazel. Zelfstandig, zeer eigengereid. Als die eenmaal iets in haar hoofd had, week ze daar geen millimeter van af. Dat bleek al toen ze voor het eerst oog in oog kwam te staan met Jeremiah. Ze wist meteen dat ze hem wilde hebben. Die twee hebben elkaar trouwens op een bijzondere manier ontmoet. Het is een mooi verhaal. Wil je het horen?' Ik kreeg geen kans om te antwoorden. 'Hazel was elf toen ze haar ouders verloor en bij haar tante ging wonen, in de geboorteplaats van Jeremiah. Toen Jeremiahs huis klaar was, stuurde hij een brief naar het postkantoor in zijn geboorteplaats met de vraag of ze bijgevoegde poster – hij had een zelfportret gemaakt en voorzien van een tekst waarin hij verzocht om een levenspartner – op een zichtbare plek wilden ophangen. Waarom hij uitgerekend voor zijn geboorteplaats koos, is mij een raadsel, want hij had een ongelukkige jeugd.' Ze haalde haar schouders op. 'Ach ja, wat is een gelukkige jeugd. Heb je een gelukkige jeugd als je ouders je overstelpen met liefde maar je buitenshuis als een paria wordt behandeld? Heb je een gelukkige jeugd als je ouders je als een outcast behandelen maar daarbuiten iedereen je geweldig vindt? Bestaat een gelukkige jeugd uit het glansrijk doorlopen van je school en het hebben van veel vriendjes? Gaat het om het krijgen van alles wat je hartje begeert?' Selma boog zich over de tafel, haalde het bord dat als deksel fungeerde van het andere af en legde de bovenste van de stapel aangebrande pannenkoeken zorgvuldig op mijn bord. 'Is een gelukkige jeugd het krijgen van een overheerlijke pannenkoek van je lieve oudtante?' Ze liet zich terugzakken. 'Mijn vraag is: moet dat dan? Is een gelukkige jeugd het meest ultieme? Het antwoord is nee. Je leert van vallen en opstaan, ruzies, jaloezie, het onderspit delven. Hoe het ook zij, er kwam welgeteld één reactie op zijn oproep.'

'Hazel?'

'Goed geraden. Doe wat van die jam op je pannenkoek, Evander. Nou, toen ik dat verhaal hoorde, vond ik dat prachtig.' Haar ogen lichtten op. 'Stel je voor. Op een dag loopt de achttienjarige Hazel het postkantoor binnen om een pakje af te leveren. Ze sluit aan in de rij. Haar ogen dwalen langs de muren en zien de oproep van Jeremiah. Gebiologeerd staart Hazel naar de man die haar beziet met een blik die haar vreemd genoeg heel vertrouwd voorkomt. Waarschijnlijk moet ze de neiging onderdrukken om uit de rij te stappen en zijn portret van dichtbij te bekijken. Maar ze houdt zich in en wacht kalm – inwendig natuurlijk trappelend van ongeduld – op haar beurt, levert het pakje af en doet een paar stappen opzij tot ze oog in oog staat met Jeremiah.' Selma liet haar stem zakken. 'Zijn inktzwarte ogen lijken haar ziel af te tasten en als ze leest wat voor vrouw hij zoekt, maakt haar hart een sprongetje. Ze voldoet aan zijn eisen. Zij is degene die hij zoekt. Ze haalt de poster van de muur, zo behoedzaam dat niemand het opmerkt, rolt hem op en loopt ermee de deur uit.'

'Hoe weet u dat ze die poster heeft meegenomen?'

'Omdat die in onze bibliotheek hangt, Evander, daarom weet ik dat. Maar goed, eenmaal thuis schrijft ze Jeremiah een brief die hem zo overdondert dat hij geen moment aarzelt en Hazel in zijn reactie ten huwelijk vraagt,' zei ze en hakte met haar mes het kapje van haar ei. Drillerig droop de inhoud langs de schaal. Ze keek er afkeurend naar, schoof het opzij en pakte een broodje.

'Een poster ophangen op het postkantoor. Ik vind het een vreemde methode om een vrouw te zoeken.'

'Wat vind jij een normale manier?'

'Nou, ik…'

'In elk geval, Jeremiah had er succes mee.'

'En waarom moesten van Hazel alle gebouwen in Quisco wit zijn?'

'Wit heeft te maken met wat Hazel daar op het postkantoor in de ogen van Jeremiah zag en waardoor ze zich tot hem aangetrokken voelde.' Ze liet er een dramatische stilte op volgen en zei: 'Hazel zag dat hij zich bewust was van zijn schuld. Zijn ziel was rein.'

Ik begreep best dat Hazel in haar spontane adoratie Jeremiah op een voetstuk plaatste, maar een reine ziel? 'Dus wit symboliseert de onschuld? Iedereen heeft wel iets op zijn kerfstok, hoe klein het vergrijp ook is.'

'Je kunt je schuld altijd herzien en je leven opnieuw beginnen.'

'Herzien? Doelt u op zelfvergiffenis?'

'Had ik het over vergeving? Als mensen zich ervan bewust zijn wat ze hebben aangericht, schuld hebben bekend tegenover zichzelf en degenen die eronder hebben geleden, kunnen ze verder leven. Als ze daarvoor kiezen, uiteraard. Leven met schuld is al een straf.'

'Beweert u dat je bewust zijn van wat je hebt aangericht een straf op zich is? Ik vind dat een boude uitspraak.'

'Je mag vinden wat je wilt, maar zo denken wij erover.'

'Dus wit staat niet voor reinheid, maar voor het streven ernaar?'

'Nee, het staat voor het streven naar het bewust zijn en het erkennen van je schuld waar loutering op volgt. Als je daar niet naar streeft, heb je in Quisco weinig te zoeken. Zie het als een geheugensteuntje.'

Ik zag het als onzin, maar ieder zijn meug. 'De eis die hij aan een vrouw stelde en waar Hazel aan voldeed, wat hield die in?'

'Ze moest onvruchtbaar zijn. Dat was voor Jeremiah een essenti-eel punt. Ze was pas achttien, maar wist dat ze geen kinderen kon krijgen. Haar maandelijkse bloedingen bleven uit en volgens de artsen die haar onderzocht hadden, zou ze die ook nooit krijgen.'

'Waarom was Jeremiah zo'n overtuigd tegenstander als het op kinderen aankwam?'

'Hij was geen tegenstander van kinderen, hij was tegen voort-planting. Dat leidde ertoe dat zijn vader, een predikant, hem uit huis zette toen hij heel jong was.'

'Hij was een van de twaalf, toch?'

'Hoe weet je dat?'

'Dat las ik in *Een geschiedenis van Quisco*.'

'O! Dat broddelwerkje.'

'Klopt het niet?'

'In zoverre dat de feitelijke informatie juist is, maar de inter-pretaties van de auteur nergens op gebaseerd zijn.'

'Jullie staan erom bekend een hekel aan vreemden te hebben. Waarschijnlijk lieten de inwoners in de tijd dat het werd geschre-ven ook al weinig los over Quisco.'

'De vraag is dan: waarom toch over ons schrijven? Zijn be-schrijvingen zijn lachwekkend. Ik raad je aan niet verder te lezen. Het heeft het beeld dat de media van ons schetsen op een verkeer-de manier gevoed. Maar goed, ze luisteren toch niet, en dat zullen ze ook nooit doen.' Ze sneed haar broodje open en begon het met krachtige bewegingen te besmeren. 'Een genuanceerd beeld ver-koopt nou eenmaal slecht.' Ze stak haar mes naar mij uit. 'Daar weet jij alles van. Hoe gaat het eigenlijk op je werk?'

'Goed, hoor,' loog ik, aangezien mijn doel om als volwaardig lid van de redactie te worden gezien tot mislukken leek gedoemd sinds ik het gevoel had onder een deken te leven die ik niet van me afgeschud kreeg. 'Maar hoe zit het dan? Waarom mogen hier geen kinderen wonen?'

'Dat bedoel ik dus. Ik zei je net al dat er in Quisco geen verbod op kinderen heerst. Dit was Jeremiahs land, hij bepaalde de regels en dat was er een van.' Ze nam een hap van haar broodje, kauwde aandachtig en schoof het broodmandje mijn kant op. 'Jullie journalisten missen elke nuance. Wij zijn geen kinderhaters. Het is andersom.'

'Hoe bedoelt u?'

Ze bleef even stil en zei: 'Wij zijn van mening dat je een kind het leven niet aan kunt doen.'

Nu kwam ze met een argument op de proppen dat ik volop ondersteunde. De noodzaak van mijn bestaan was mij volstrekt onduidelijk en ik had nooit begrepen waarom mijn ouders zich ooit de moeite hadden getroost boven op elkaar te kruipen om mij te verwekken. Het had gescheeld als mijn ouders mij hadden laten merken dat mijn aanwezigheid hun leven verrijkte, als ze hadden laten zien dat ze blij met me waren. Maar het was eerder andersom. Ik voelde me ongewenst. Ik was een last en had me als kind vaak afgevraagd waarom ze mij het leven hadden aangedaan. Ik was geen pril geluk. Mijn vader hield zich vanaf mijn geboorte afzijdig en mijn moeders liefde voelde geforceerd aan. Ze hemelde me op en vertelde me dagelijks hoeveel ze van mij hield. Haar knuffels waren nooit liefdevol en zacht maar voelden aan als pogingen tot doodslag, alsof ze mij wilde vermorzelen in haar omhelzing. 'Ondertussen woont er wel een kind in Quisco.'

'Daar hebben we dan ook onze handen vol aan.'

'Hoezo?'

'Laat maar. Nog koffie?'

8

IK TROK de met rozen bedrukte handdoek van mijn middel en bekeek mezelf in de manshoge spiegel die in de hoek van mijn kamer stond. De genen die mijn uiterlijk bepaalden, waren het enige zinvolle dat mijn ouders aan mij hadden doorgegeven. Mijn trekken waren regelmatig en ik was in het bezit van een vierkante kaaklijn. Ja, mijn gezicht kon ermee door, alhoewel ik mijn neus iets te geprononceerd vond. Waar ik niet tevreden over was, waren mijn ogen. Ze waren flets en zelfs ik kon er niet uit opmaken hoe ik me voelde. Het motto dat de ogen de spiegel van de ziel zijn, ging voor mij niet op.

Ik ging zijwaarts staan. Mijn benen hadden langer gekund in verhouding tot mijn armen, maar soit. Hier en daar kon het wat strakker, zeker mijn buik, die een lichte bolling vertoonde. Ik trok hem in, ontspande mijn buikspieren weer en gaf er een klopje op.

Anna had mij na drie maanden verkering meegesleept naar de sportschool. In het begin veinsde ik enthousiasme en deed, met mijn briefje in mijn hand, de oefenreeksen keurig volgens mijn 'Persoonlijk en Individueel Trainingsprogramma' zoals er in koeienletters boven stond. Toen begon Anna crop aan te dringen dat ik de oefeningen uit mijn hoofd leerde. 'Het staat zo beginnersachtig als je steeds op je briefje kijkt. Is het nou echt zo ingewikkeld?' zei ze. Puntje bij paaltje: Anna vond dat ze met mij naast zich voor schut stond, ging voortaan alleen en ik zegde mijn abonnement op. Confrontaties met vrouwen zijn nutteloos en energieverslindend. Dus leefde ik keurig volgens de feminiene wet dat een man pas iets in te brengen heeft als het de vrouw uitkomt. Het is de bedoeling dat je doet wat je wordt gezegd. Maar ook ik heb mijn grenzen. Voor alle duidelijkheid; het is niet dat ik ze niet waarschuw. Integendeel. Ze weten dat op mij geen garantie zit.

Ik trok de la van de commode open, pakte het bovenste van de stapel witte T-shirts en trok de spijkerbroek aan waarvan er twee exacte kopieën in de la lagen. Ik stak *Een geschiedenis van Quisco* bij me en liep naar beneden. 'Selma, ik ben weg,' riep ik de gang in. Een antwoord bleef uit en ik stapte de veranda op. Ik zag nu pas dat achter in de tuin, in de schaduw van een enorme plataan, een zwembad lag. 'Selma?'

'Joehoe!' Het klonk alsof het onder mij vandaan kwam, dus keek ik als een dwaas naar de verandavloer. 'In de kelder,' klonk het gemoffeld.

Ik stapte het gras op. Het kelderluik was tegen de buitenmuur geklapt en ik hurkte voor de donkere opening: 'Ik ben ervandoor,' riep ik. 'Ik ga de buurt een beetje verkennen.'

Als een prairiehondje dat uit zijn hol schoot, verscheen haar gezicht zo plotseling voor mijn neus dat ik bijna achteroverviel.

'Ha! Jij schrok zeker van mijn lelijke smoeltje.'

Ik mompelde een ontkenning. 'Wat bent u aan het doen?'

'Ik ruim mijn kelder op. Ruik je het? Er ligt iets doods.'

Nu ze het zei rook ik het inderdaad. 'Ratten?'

'Muizen als je het mij vraagt.'

'Het ruikt groot.'

'Dat is een onmogelijkheid, Evander, groot ruiken. Bovendien, tien muizen maken een rat.'

'Heeft u hulp nodig?'

'Leer eerst maar eens een ander gezicht op te zetten als je iets ongemeend aanbiedt. Ga maar en hydrateer jezelf goed. Waar ga je heen?'

'O, ik zie wel. Beetje rondrijden.'

'Heel goed, jongen. Niet met vreemden praten, hè?' Ze grinnikte en tussen haar rimpels verschenen kuiltjes in haar wangen.

'Nee, tante, dat zal ik niet doen,' zei ik met een glimlach. 'Tot later.'

'Tot halfeen. Lunchtijd. Halfeen verwacht ik je weer terug.'

Ik keek naar mijn buik. 'Oké.'

'Stipt, want we eten warm. O ja, trouwens, als je zin hebt om te zwemmen kan ik je de beek aanraden, maar je mag ook een duik in mijn zwembad nemen.'

Geen haar op mijn hoofd. 'Dank u wel, maar ik ben niet zo dol op water.'

'Want?'

'Omdat het nat is.'

'Erg grappig, Evander. Je moet het zelf weten, natuurlijk, maar ik vind zwemmen altijd verfrissend. Nou, veel plezier en zet je petje op. Een zonnesteek heb je zo opgelopen,' zei ze en verdween.

Ik liep naar het zwembad. Ondanks mijn aversie zag het er verleidelijk uit. Het oppervlak was spiegelglad. Op de bodem had zich wat woestijnzand opgehoopt dat door de wind was meegevoerd. Een zilte lucht bereikte mijn neus. Ik zakte door mijn knieën en liet mijn vingers door het water glijden. Mijn spiegelbeeld vervaagde en op het moment dat ik mijn vingertoppen naar mijn lippen bracht, begon mijn rechterarm te trillen. Vloekend pakte ik mijn arm vast en ging zitten. Ik was er een paar jaar geleden achter gekomen dat het eerder ophield als ik aan fijne dingen dacht. Ik sloot mijn ogen, maar ik kon me niets fijns voor de geest halen.

Hoewel nergens een snelheidslimiet werd aangegeven, vond ik Quisco geen plek om hard te rijden. Het schoot sowieso niet op, want ik kwam tot de ontdekking dat alle wijken eenzelfde visgraatstructuur hadden: een doodlopende hoofdweg met aangrenzende schuin aangelegde zijwegen die ook doodliepen, waardoor ik constant mijn auto moest keren.

De weinige voorbijgangers die ik tegenkwam en stuk voor stuk groette, staken keurig hun hand op, maar een glimlach was blijkbaar te veel gevraagd. Misschien moest ik het ze maar niet kwalijk nemen. Ik was uiteindelijk een vreemde, en wist van tevoren dat deze mensen geen affiniteit met mij zouden hebben, een gevoel dat wederzijds zou zijn. Zodra mijn artikel klaar was – ik had nog steeds geen flauw benul waar ik over moest schrijven – had ik zowel aan mijn belofte aan oma als aan de opdracht van mijn chef voldaan en kon ik Quisco achter me laten.

Terwijl ik naar het plein reed, dacht ik na over hoe ze gisteren in Eten & Drinken de draak met mij hadden gestoken. Ik ben van mening dat je iemand die te gast is op zijn gemak hoort te stellen. Waarschijnlijk voelden ze zich boven mij verheven. Stedelingen worden altijd beticht van arrogantie, maar in dorpen konden ze er ook wat van. Aan de andere kant was mijn reactie wellicht wat overtrokken en bedoelden ze het niet zo kwaad. Ik wist dat ik overgevoelig was als het ging om wat mensen van mij vonden.

Ik reed het plein op waar Jeremiah vanonder zijn borstelige bronzen wenkbrauwen op mij neerkeek en parkeerde op dezelfde plek als gisteren. Deze keer stapte ik resoluut uit, nam met opgeheven hoofd de treden, trok de deur van Eten & Drinken open en liep linea recta naar een vrij tafeltje.

'Goedemorgen. En? Hoe gaat het met je op deze prachtige ochtend?'

Breed glimlachend keek Thierry me aan. Er stak een potlood achter zijn oor en het opschrijfboekje dat hij met twee handen vasthield verzonk in zijn vlezige handen. Het viel me op dat zijn nagels glansden. 'Goed hoor.'

'Je ziet er anders niet al te best uit.' Hij plaatste een vinger onder zijn oog en trok een halve kromme lijn. 'Heb je slecht geslapen?'

'Nee, heel goed juist.'

'O, ik weet al wat er gebeurd is. Selma heeft je gisteren een van haar fameuze maaltijden voorgeschoteld. Blok beton in je maag, een lichte misselijkheid, een onlesbare dorst, heb je dat gevoel?'

Ik grinnikte. 'Na de lunch waarschijnlijk wel.'

'Nou, voor eten kun je hier altijd terecht, dat weet je.'

Ik wenkte hem dichterbij te komen. 'Thierry, wat er gisteren gebeurde, doen ze altijd zo tegen vreemden?'

'Wat bedoel je?'

'Dat gelach? En net, toen ik hiernaartoe reed, iedereen groet terug maar ze kijken me wat vijandig aan.'

'Agossie nou,' zei hij waarop hij zijn hoofd in zijn nek legde en begon te lachen. Het klonk onaangenaam, maar dat kon ook mijn verbeelding zijn.

'Vind je dat ik overdrijf?'

'Nee, maar als ik zo vrij mag zijn, ik vind wel dat je je aanstelt. Laat ze maar. Het is niet verkeerd bedoeld. Ze zijn nog maar net bekomen van al die vreemden die hier rondhingen in verband met de verdwijning van Martha Mulder en nu loopt er weer eentje rond.' Het klonk alsof ik een inheemse diersoort was. 'Wees geduldig en geef ze een kans. Het zijn best aardige mensen. Koffie?'

'Graag.'

Ik keek om me heen. Alle tafels aan het raam waren bezet en aan de bar zaten een paar klanten, hun ogen strak op mij gericht. Ik schoof mijn stoel naar achteren, stak mijn hand op en riep: 'Goedemorgen, ik ben Evander Clovis en ben op bezoek bij mijn oudtante, Selma Le Bon. Eet u verder smakelijk en heb een fijne dag.' Ik ging zitten en hoorde voldaan het geroezemoes aan.

Thierry zette mijn koffie voor me neer en zei zachtjes: 'Ik stel een andere aanpak voor. Deze is nogal agressief. Dat werkt averechts.' Hij ging tegenover me zitten, leunde met zijn ellebogen op het tafelblad waardoor het iets naar zijn kant doorboog en liet zijn kin in zijn handen rusten. Na een moment van stilte zei hij: 'Ik heb een advies voor je.'

Weer iemand met een advies. 'Ik ben benieuwd.'

'Wees jezelf.'

Zijn opmerking verwarde mij. 'Dat ben ik.'

'Waar jij vandaan komt, kom je er misschien mee weg, maar in Quisco niet, dat kan ik je verzekeren. Laat zien wie je bent, dan maak je vrienden voor het leven. Nou ja, voor het leven is wat overdreven, maar je begrijpt wat ik bedoel. En vertel ze ook wat je echt komt doen.'

'Wat ik echt kom doen? Ik kom mijn oudtante opzoeken. Ik heb geen dubbele agenda, mocht je dat soms denken.'

Thierry deed zijn bril af, pakte de theedoek die aan zijn broekband hing en begon zorgvuldig zijn brillenglazen te poetsen. Toen hij zijn bril opzette, leken zijn ogen feller dan voorheen. 'Naast advies heb ik een tip. Vergis je niet in ons. Wij zijn niet achterlijk.'

'Wat maken jullie nou mee? Jullie leven hier op een eiland van ongenoegen en hebben geen idee wat er in de wereld speelt.'

'Ongenoegen?'

'Daarom wonen jullie toch in Quisco? Uit ongenoegen over hoe het er in de boze buitenwereld aan toegaat?'

'Ik vraag me af hoe je daarbij komt, maar ik feliciteer je met deze fijne, simpele en overschouwbare mening, een waar jij je uiteraard zeer prettig bij zult voelen. Toch ligt het iets genuanceerder.'

Moest je net mij hebben. Ik had een pesthekel aan overzichtelijke meningen. Mensen die te laks zijn om de feiten te checken, te lui om hun generalisaties om te zetten in nuanceringen en te dom zijn om argumenten te pareren, kunnen wat mij betreft de boom in. Hun zelfgenoegzaamheid vond ik stuitend. Ik was anders. Voor mij waren generalisaties slechts een middel om overzicht te verschaffen.

'Wij zijn niet dom,' vervolgde Thierry. 'Wij hebben ook het een en ander meegemaakt en beschikken bovendien over een grote dosis mensenkennis.'

'Mensenkennis doe je niet op door je in een gehucht terug te trekken en te doen alsof dat de wereld is.'

'Wij doen helemaal niet alsof. Dit ís onze wereld. En zolang jij hier bent is het ook jouw wereld. Het zal je wellicht verbazen, maar wij hebben een levensgeschiedenis buiten deze grenzen en we hebben allemaal de reis hiernaartoe gemaakt, net als jij. Onthoud dat. Het zal je helpen.'

'Helpen met wat?'

'Om te begrijpen. Stel je om te beginnen eens open. Voor ons én voor jezelf. Je zult zien dat je er meer mee zult bereiken, meer dan je ooit had gedacht.'

Thierry leek me een prima vent, maar dit was therapeutisch geleuter, dus haalde ik mijn schouders op. Thierry stond op en gaf me een klap op mijn rug. 'Neem mijn raad maar ter harte. Het zal je verder brengen. Geloof me,' zei hij en zweefde weg.

9

IN EEN *geschiedenis van Quisco* stond dat toen Jeremiahs huis klaar was, hij de status van besloten gemeenschap aanvroeg. Zijn verzoek werd gehonoreerd, waarbij het recht van overpad als enige verplichting werd gesteld. De auteur ging ook in op de vestigingseisen. Nog voordat je je mocht inschrijven, moest je door een strenge ballotage. Was je door die selectieronde heen, dan was het wachten tot je opschoof op de wachtlijst, waarbij – om redenen die volgens de auteur nooit werden toegelicht – sommigen het stempel 'urgent' ontvingen en voorrang kregen. Eenmaal bovenaan – daar kon een paar jaar overheen gaan – werd je hele doopceel gelicht. Al met al kwam je hier niet zomaar binnen en zodra het zover was, behoorde je tot de uitverkorenen. Waar je precies aan moest voldoen, bleef een raadsel.

Ik nam een slok koffie en streek met mijn duim over het logo van Eten & Drinken op de mok. Fijn, dat recht van overpad, maar daar maakte natuurlijk geen hond gebruik van. De keuze voor dit stuk land was een slimme vondst als je nieuwsgierigen op afstand wilde houden. De zee omringde het schiereiland en de kustlijn bestond uit hoge rotspartijen, dus aanmeren was onmogelijk. Sloot je de enige andere toegang – de smalle weg tussen de ravijnen – af, dan was Quisco onbereikbaar. Ik keek naar de bar om Thierry's aandacht te vangen, toen ik op mijn schouder werd getikt.

'Meneer Clovis? Aangenaam. Rick Shade, burgemeester,' zei de man die zijn hoed oplichtte en mij onderzoekend aankeek. Toen ik opstond greep hij mijn hand en pompte mijn arm zo hard op en neer dat ik dacht dat die uit de kom zou schieten. Je kunt enthousiasme ook overdrijven.

Rick Shade had een gecompliceerd gezicht. Op de vreemdste plaatsen zaten vouwen en groeven en op sommige plekken leek zijn huid los over zijn gezichtsbeenderen te hangen. Hij had halflang grijsblond haar en zijn baard was keurig getrimd. Hij leunde zwaar op een wandelstok en zag er in zijn spierwitte pak tot in de puntjes verzorgd uit. Rick Shade legde een hand op de tafel en wees met zijn stok naar de stoel tegenover mij. 'Mag ik?'

'Uiteraard,' zei ik en legde *Een geschiedenis van Quisco* naast me op de grond.

Hij nam plaats en zette zijn stok tegen de tafelrand. De zilveren knop had de vorm van drie hondenkoppen. Hun gespleten tongen staken als vlammen uit hun opengesperde bekken en door de oranjerode edelstenen in hun oogkassen leken hun ogen vuur te spuwen. Thierry kwam aangesneld met een kan ijswater en twee glazen.

'Zo,' zei Shade. 'Ik hoor dat we een journalist in ons midden hebben.'

'Dat klopt maar ik wil meteen uit de wereld helpen dat ik hier in die hoedanigheid ben.'

Shade trok de kan naar zich toe, vulde beide glazen en schoof een ervan mijn kant op. 'Sheriff Cordon beweert van wel. Hij heeft u zien rondsnuffelen bij het huis van de Mulders.'

'Ik was daar niet aan het rondsnuffelen. Ik ben naar Quisco gekomen om mijn oudtante Selma te bezoeken en grijp mijn verblijf aan om wat tot rust te komen.'

'U denkt bij ons rust te vinden?'

Ik wilde reageren door Shade te zeggen dat, aangezien er in Quisco geen moer te doen was, ik niet zou weten wat ik hier anders zou vinden, maar ik hield mijn mond.

'Waarom zou u het ontkennen, meneer Clovis? Bent u soms bang dat wij u met pek en veren zullen bedekken om u vervolgens uit Quisco te verjagen?'

'Ik hoef niets te ontkennen. Ik heb mijn oma op haar sterfbed beloofd haar zus op te zoeken en ik ben iemand die zijn beloftes nakomt.'

'Dat is een uitstekende eigenschap. Ik kom u zeggen dat u van harte welkom bent en u net zo lang van onze gastvrijheid gebruik mag maken als u nodig acht. U bent vrij om te gaan en staan waar u wilt. Bovendien wil ik niet de kans lopen nog meer ellende over Quisco af te roepen doordat u uitgebreid verslag heeft gedaan over de manier waarop wij u hebben verdreven,' zei hij met een glimlach.

'U gelooft mij niet?'

'De vraag is eerder: gelooft u uzelf?'

Die vragen over mijn zelfkennis begonnen me danig de keel uit te hangen. 'Ik merk dat u geen vertrouwen in de media heeft.'

'U kunt zich daar vast wel een voorstelling bij maken. De vooringenomen wijze waarop zij ons portretteren, is hemeltergend. Ik neem aan dat ook u bevooroordeeld bent?'

'Nou, ik...'

'Het was een retorische vraag.' Hij leunde iets naar voren en zei: 'Het is zeer eenvoudig, meneer Clovis. U heeft er geen idee van hoe vaak wij worden bezocht door lieden die Quisco zien als een abnormale plek bevolkt door zonderlinge figuren. We zijn een tijd uit het zicht geweest, maar door het gedoe rond mevrouw Mulder staan we weer op een manier op de kaart die ons niet bevalt. We zijn geen kermisattractie en mijn burgers hebben om allerlei redenen voor Quisco gekozen, onder andere omdat ze gesteld zijn op hun privacy. Dus een artikel dat ons in een ander daglicht stelt, een normaal daglicht, zou ik omarmen.'

Het beeld dat Rick Shade schetste klopte, maar steek dan ook de hand in eigen boezem. Mensen houden van mysteries, maar ze willen ook de oplossing weten en als je ze die niet geeft, bedenken ze er zelf een. 'Ik ben niet de media. En heeft u er weleens aan gedacht dat de media door uw geslotenheid wel dingen moeten verzinnen?'

'Moeten verzinnen? Hoort u wat u zegt?'

'U wilt toch niet ontkennen dat u hier een mythe in stand houdt?'

'Een mythe.' Rick Shade begon te lachen. Hij lachte zonder geluid te maken en bij elke ademsnak klonk hij als een zeehond. Iedereen zat ons aan te kijken. 'Een mythe!' Hij sloeg met zijn hand op tafel. 'U slaat de spijker op z'n kop. Dat is het precies. Ik heb besloten daar eens en voor altijd een eind aan te maken en u, meneer Clovis, kunt een bijdrage leveren aan mijn oplossing,' zei hij met de intonatie van een quizmaster en zo keek hij me ook aan.

Ergens voelde ik me vereerd. Zo vaak kwam het niet voor dat ik werd gezien als een oplossing in plaats van een probleem. 'Wat heeft u in gedachten?'

Hij pakte zijn wandelstok, liet zijn handen op de knop rusten en leunde achterover. De drie hondenkoppen piepten nieuwsgierig tussen zijn vingers door. 'Dat zal ik u zeggen. Wat ik voor me zie is een neutraal artikel over onze woonplaats, een waarin onze geschiedenis centraal staat en een aantal inwoners aan het woord komt. Het moet niet al te positief worden, want het is niet de bedoeling dat men zich graag in Quisco wil vestigen. Doe het maar voorkomen alsof het hier dodelijk saai is en dat er niets opzienbarends gebeurt. Ook de filosofie van Jeremiah moet er een plek in krijgen, natuurlijk. Een paar foto's erbij en klaar. Zou dat iets voor u zijn?'

Ik moest me inhouden om niet te glimlachen. Ik bevond me in een absurde situatie. De mogelijkheid om iedereen openlijk vragen te stellen voor mijn eigen stuk, werd me pardoes in de schoot geworpen. 'Hm. Ik weet het niet,' zei ik, hopend dat de weifeling in mijn stem goed overkwam. 'Zoals ik al zei, ik ben hier voor mijn rust, en ik...'

'Zet jezelf dan in functie, Evander. Mag ik Evander zeggen? Het is heel eenvoudig. Zie het als een win-winsituatie. Stel je voor wat het voor jou en je naamsbekendheid zal betekenen. Je kunt jezelf profileren als de eerste journalist die sinds het bestaan van Quisco in nauwe samenwerking met de burgemeester en de inwoners een artikel heeft geschreven. En ik heb nog meer goed nieuws voor je. Ik zal je er rijkelijk voor belonen.' Tevreden keek hij me aan. 'Wat vind je van dit plan?'

Door deze strategische zet zou de mythe over Quisco verdwijnen. Wat overbleef was een doorsneestadje waar geen haan naar
zou kraaien. 'Ik vind het slim bedacht.'

'Volgens mij begrijpen wij elkaar. Ik moet bekennen dat ik er
zelf behoorlijk mee ingenomen ben. In plaats van het mysterieuze beeld dat ze van ons hebben, dat overigens volkomen de plank
misslaat, weten de mensen in het land straks dat er niets geheim-
zinnigs is aan Quisco, dat wij een open boek zijn.' Hij glimlachte.
'Evander Clovis, bij dezen bied ik jou exclusief de mogelijkheid
alle broodjeaapverhalen over Quisco uit de wereld te helpen. Wat
zeg je daarop?'

Inwendig maakte ik een dansje. 'Ik... eh, nou, ik...'

'Zeg maar ja.'

'Nou, vooruit dan maar. Als ik jullie daarmee van dienst kan
zijn, wil ik dat best doen.'

Shade stak zijn hand uit en schudde, nog enthousiaster dan de
eerste keer, de mijne. 'Afgesproken. Ik stel iedereen van onze afspraak op de hoogte zodat ze weten dat ze vrijuit met jou kunnen
praten. Ik geef je de vrije hand. Je mag schrijven wat je wilt, maar
ik wil het wel lezen voordat het naar de krant wordt gestuurd. En
nog iets. Er is één persoon voor wie ik je wil waarschuwen en dat is
Martha Mulders dochter, Josie.'

'Josie?'

'Ja, het is een getroebleerd kind. Neem maar van me aan dat ze
een onbetrouwbare bron is. Haar fantasie gaat regelmatig met
haar aan de haal. Als je haar toch spreekt, adviseer ik je alles wat ze
zegt met een korrel zout te nemen en er verder geen aandacht aan
te besteden. Josie spreekt als een volwassene waardoor je de nei-

ging krijgt haar dusdanig te behandelen. Trap er niet in. Neem je het van me aan?' Ik knikte maar dacht er het mijne van. 'Moet ik onze afspraak contractueel vastleggen of is alles duidelijk?'

'Dat is onnodig. Zoals ik al zei, ik kom mijn beloftes altijd na. Aan welk honorarium had u gedacht?'

Hij noemde een bedrag waar ik niet van had durven dromen. Ik zei dat ik het daarvoor wel wilde doen, en hij stond op. 'Ik vond dit een uitermate prettig gesprek, Evander. Succes ermee. En dat...' zei hij en wees naar *Een geschiedenis van Quisco*, 'kun je net zo goed dicht laten. Het is onvolledig. Als je vragen hebt, sta ik tot je beschikking.'

Ik keek hoe Shade, onderwijl mensen begroetend, de deur uit liep. Dit moest ik even laten bezinken. Ik kon ervan uitgaan dat het artikel gecensureerd zou worden, maar hoe het uiteindelijk in de krant kwam te staan, werd door mij bepaald en niemand anders. Ook wist ik precies wie ik als eerste ging interviewen. Zodra een machthebbende over iemand praat als zijnde een onbetrouwbare bron, kun je er gevoeglijk van uitgaan dat die persoon de enige is die de waarheid spreekt.

'Dat ziet er beter uit. Nu kijk je alsof je op een goudader bent gestuit.'

'Ik begin het steeds meer naar mijn zin te krijgen, Thierry. Ik wil graag afrekenen. Ik moet ervandoor.'

'Geen appeltaart? Verse, zelfgebakken?'

'Nee, dank. Ik word te dik.' Ik klopte op mijn buik en keek hem beschaamd aan. 'O, eh... sorry, het was niet mijn bedoeling...'

'Al goed, al goed.'

Ook deze keer liet ik een veel te grote fooi achter.

Vreemde peristaltische bewegingen duwen mij naar beneden. Ik spreid mijn benen en druk mijn tenen tegen de baarmoederwand. Vechtend tegen elke spierkramp waarmee ik naar onderen word geforceerd, klauw ik met mijn handen op zoek naar houvast en plaats ze stevig tegen het bekken. Ik probeer me af te zetten zodat ik me om kan keren. Dan een flits. Het licht is fel, schijnt door mijn oogleden. Het verdwijnt, maar komt terug en blijft nu schijnen. Ik hoor gedempte stemmen. Ik hoor een kreet, dan nog een en nog een. Het klinkt angstaanjagend. Daarbuiten wacht een monster op mij. Hier is het veilig.

Ik spartel tegen, probeer me om te draaien, maar ik word tegengewerkt. De spieren van de baarmoederwand trekken zich samen. Ik heb het gevoel alsof ik vacuüm word getrokken. De kracht is te groot. Mijn handen schieten los, ik zak naar beneden en raak met mijn hoofd de bekkenbodem. Ik probeer me te draaien. Ik wil terug. Nog een schreeuw. Weer trekken de wanden zich samen. Ik word samengeperst, nog verder naar beneden geduwd. Mijn armen worden tegen mijn ribben gekneld. De kracht op mijn nek is immens, alsof die elk moment doormidden kan breken. Dan een scheurend geluid, een schreeuw, een opening.

Mijn ogen openen zich. Ik knijp ze weer dicht. Het licht is onverdraaglijk. Hoofdpijn. Koud. Ik heb het koud. Ik pers mijn lippen op elkaar en trek mijn benen op. Ik kan geen adem halen. Dan voel ik iets om mijn enkels, als een stalen band. Aan mijn benen word ik omhooggetrokken. Ik hang ondersteboven in het luchtledige. Iets komt op mijn billen terecht. Pijn. Ik sper mijn mond open. Adem in. Mijn longen klappen zich uit. Ik gil.

Het is zover.

◦ ◦ ◦ ◦ ◦

10

O P HET moment dat ik de klink van het hek naar beneden drukte, zwaaide het in een welkome beweging open.

Het was mij gisteren opgevallen dat de tuin van de Mulders er onverzorgd bij lag, maar nu ik het tuinpad op liep, merkte ik dat het slechts de schijn van overwoekering gaf. Weelderige rozenstruiken werden ondersteund door borders vol met onkruid die de kleurenpracht van de bloeiende rozen benadrukten. De ingetogen ruigheid van de tuin fascineerde me. Hij was als een dier dat zich in allerlei bochten wrong om te ontsnappen en zich daardoor van zijn krachtigste en meest primaire kant liet zien. Ik vond het mooi: de ontembare versus de getemde natuur. Leven en laten leven, maar wel binnen de aangegeven grenzen. Als maatschappijen zo waren ingericht, had je de perfecte samenleving en hoefde je alleen nog het probleem 'mens' op te lossen.

Na een minuut of vijf begon ik me af te vragen of ik het huis ooit zou bereiken. Telkens als ik dacht er vlakbij te zijn, stuurde een zinloze bocht in het pad mij een andere kant op. Ik had het gevoel in een labyrint te lopen en wilde rechtsomkeert maken – misschien had ik ergens een afslag gemist – toen ik opeens recht voor het huis van de Mulders stond.

Vanuit de auto had het eruitgezien als een misbaksel, maar bij nadere inspectie was dat allerminst het geval. Ook was het veel groter dan ik had geschat. Vanaf de grond waren de buitenmuren tot zo'n drie meter hoogte bedekt met koperen platen die groen waren uitgeslagen waardoor het huis boven de omringende gewassen leek te zweven. Elke verdieping was smaller dan de onderste, wat het huis het aanzien gaf van een chocoladebruiloftstaart. Een stenen trap leidde naar de voordeur.

'Welkom,' klonk het achter me.

Voor mijn gevoel sprong ik een halve meter de lucht in. Ik draaide me om. 'Sorry,' zei het meisje dat ik gisteren achter het tuinhek had zien staan. Ze stond midden op het pad, alsof ze uit de lucht was komen vallen. 'Ik maakte je aan het schrikken.' Haar stem was hoog en helder.

Ik schatte haar een jaar of negen. Ze hield haar handen, die bijna verdwenen in de mouwen van haar jurk, voor zich gevouwen. Haar ogen hadden precies dezelfde fletsblauwe kleur als die van mij en waren omrand met spierwitte wimpers, even wit als haar vlechten. Ze deed een stap naar voren en voor twee seconden lag haar hand als een dode laboratoriummuis in de mijne. 'Ik ben Josie. Josie Mulder. En jij bent?'

'Evander Clovis.'

'Mooie naam. Klinkt als een ridder.'

Ik glimlachte. 'Ik ben niet gekomen om je te redden, maar dank je.'

Ze glimlachte niet terug. 'Wat kom je doen?'

Die vraag had ik verwacht. 'Ik ben nog maar net in Quisco en was nieuwsgierig naar dit huis. Het is misschien wat brutaal van me om zomaar de tuin in te lopen. Maar het valt tussen al die witte huizen nogal op. Ik logeer bij Selma Le Bon, je kent haar vast. Ik ben haar achterneef.'

'Volgens mij is er een andere reden. Volgens mij wil jij weten hoe het weesje van Quisco eraan toe is. Zou ze verdrietig zijn? Redt ze het daar in haar eentje? En hoe ziet de toekomst er voor haar uit, zo zonder ouders?'

Kinderen en ik waren een slechte combinatie. Ik schatte ze altijd verkeerd in – te dom of te snugger – en zei daardoor vaak dingen waarmee ik ze aan het huilen maakte. Het contact met dit kind zou nog lastig worden, want zij zag er niet alleen vreemd uit maar gedroeg zich ook zo. Rick Shade had gelijk. Haar houding en vocabulaire waren zoals van een volwassene en uit haar ernstige gezicht sprak meer levenservaring dan je van een kind zou verwachten. 'Ik vind het verschrikkelijk voor je, Josie. Ik hoop dat ze je moeder snel vinden.'

'Waarom?'

Waarom? 'Nou, dat lijkt me heel erg, als je moeder onvindbaar is.'

'Dat hangt ervan af hoe je relatie met je moeder is.'

'Ja, ja, natuurlijk, maar toch, die onzekerheid, dat moet...'

'Ze gaan haar echt niet meer vinden, hoor. Niet levend in elk geval.' De verbijstering was van mijn gezicht af te lezen, want ze zei: 'Het is gewoon de waarheid. Ik weet dat ze dood is. Ze zijn ook veel te laat begonnen met zoeken. Bij een verdwijning zijn de eerste vierentwintig uur toch cruciaal? Nou, daar waren ze echt ver overheen.'

Interessant. Als de autoriteiten hadden gefaald en Martha Mulder dood werd gevonden, had ik een mooie insteek voor mijn artikel te pakken.

'Heb jij je moeder als vermist opgegeven?'

'Nee, haar assistente, Melissa. Op de dag dat ze verdween had mijn moeder 's ochtends spreekuur. Toen ze niet kwam opdagen, heeft Melissa de sheriff gewaarschuwd.'

'Wanneer zag jij haar voor het laatst? Was dat die ochtend?'

'We ontbeten nooit samen. De dag ervoor had ze 's avonds een afspraak. Ik heb haar daarna niet meer gezien. Nadat Melissa het had gemeld, kwam sheriff Cordon pas de volgende dag in actie. Hij vond het belangrijk eerst bij elk huis in Quisco langs te gaan om te vragen of iemand haar had opgemerkt. Eerst hebben ze met z'n allen gezocht, maar pas toen de buitenstaanders kwamen, werd het grondig aangepakt. Onderhand was ze al twee dagen weg.'

'Buitenstaanders?'

'De politie uit West. Kom je binnen?' zei ze en liep mij voorbij.

Dit was perfect. Ik had verwacht dat degene die voor haar zorgde mij te woord zou staan en ik me in allerlei bochten zou moeten wringen om Josie te spreken te krijgen. Verheugd liep ik achter haar aan en bleef op de bovenste trede staan. Er was een tekst in uitgehouwen:

VERTEL ONS WAAROM GE ZO WEENT EN

UW BINNENSTE ROUW DRAAGT.

Ik wees naar beneden. 'Jeremiah?'

'Homerus. Jeremiah heeft het laten plaatsen.'

Mijn ogen gleden langs de gevel omhoog. Ik bleef het vreemd vinden dat uitgerekend Jeremiahs huis bruin was. Vond hij zichzelf zo belangrijk dat hij voor zijn huis een uitzondering maakte? Of had hij geen geheugensteun nodig had als het ging om het bewustzijn van je schuld? Was hij al gelouterd? Ik opende mijn mond om het te vragen toen Josie zei: 'Je ziet het verkeerd. Dit huis heeft een speciale functie.' Samen keken we naar het huis dat me donkerder voorkwam dan gisteren. 'Het wordt gebruikt om in te schuilen als de nood aan de man is. Daarom is het ook zo groot.'

Ik lachte. 'Het lijkt me inderdaad levensgevaarlijk om in Quisco te wonen.'

'Soms wel.'

'Sorry, je hebt gelijk, maar het is nog steeds onzeker of je moeder...'

'Ik had het niet over haar.' Ze wees naar de koperen platen die met klinknagels tegen de muren gespijkerd zaten. 'Weet je waarom die er zitten? Om het huis te verstevigen zodat het tijdens een zandstorm blijft staan. Die komen hier weleens voor. Ze zijn niet allemaal even bedreigend, maar soms komt er een voorbij die alles verwoest dat op zijn pad komt.'

'Dan bouw je alle huizen toch op deze manier? Ik begrijp het nog steeds niet helemaal.'

Met haar wonderlijk bleke ogen keek ze me onderzoekend aan. Toen stapte ze naar voren en prikte met haar wijsvinger in mijn buik. 'Je hoeft ook niet alles te begrijpen.'

Er zat iets in haar blik, alsof ze wist dat haar opmerking mij uitdaagde om juist alles te willen begrijpen. Ze maakte mij nieuwsgierig en het beviel me, het zette mijn brein op scherp, gaf me het gevoel alsof mijn hersencellen zich na een diepe slaap uitrekten en zich gereedmaakten voor activiteit.

Josie maakte een halve pirouette en huppelde naar de voordeur, haar vlechten dansend tussen haar schouderbladen. Ik voelde nog steeds de druk van haar wijsvinger, recht in mijn navel. 'Blijf je daar staan of kom je mee naar binnen?' vroeg ze.

Weer dat glimlachje. Ik voelde me geïntimideerd door een kind van negen. Idioot gewoon. Josie greep met twee handen de deurklink beet en duwde hem naar beneden. Het kostte haar zichtbaar moeite de deur open te krijgen, dus hielp ik haar door mijn handpalm boven haar hoofd tegen het hout te leggen en duwde mee. Toen voelde ik dat de deur van staal was. De houtnerven waren erop geschilderd. 'Zwaar deurtje,' zei ik, waarop Josie mij over haar schouder een dodelijke blik toewierp en het huis binnenliep.

De deur viel met een zuigend geluid achter ons dicht en ik slikte de druk op mijn oren weg. Met snelle passen liep Josie voor mij uit de gang in. De wandlampen verspreidden een zwak licht. Ik haalde haar in. 'Zeg, woon je nu in je eentje in dit huis?'

'Natuurlijk niet. Ze hebben mij Melissa gegeven.'

'Gegeven?'

'Al lang geleden hoor. Een paar maanden na mijn geboorte vroeg mijn moeder haar of ze voor mij wilde zorgen.'

'Had ze daar zelf geen tijd voor?'

'Tijd was het punt niet.'

'Wat dan wel?'

'Ik was het punt. Ze begreep me niet.'

'Begrijpt Melissa jou wel?'

'Niemand begrijpt mij.'

In stilte liepen we door de gang waar geen eind aan leek te komen. Uiteindelijk boog hij af naar een trapopgang met treden zo hoog dat Josie zich bij elke tree met twee handen aan de leuning omhoog moest trekken. We kwamen op eenzelfde gang uit, alleen liepen we nu de andere kant op. Halverwege bleef ze voor een afgesloten deur staan en duwde hem open.

11

ER HING een klamme kilte in de schemerige kamer en het rook er naar schimmel. De gordijnen waren als coulissen dichtgeschoven en de zon probeerde zich door de kieren te persen. Rond de tafel stonden acht met rood fluweel beklede stoelen, hun zittingen verbleekt tot oudroze. Aan de rechterwand hing een manshoog portret van Jeremiah met een norse uitdrukking op zijn gezicht. Je zou zeggen dat iemand die erop vertrouwt dat een ideale samenleving mogelijk is en zijn leven wijdt aan het realiseren daarvan, een optimist moest zijn. Hoe hield je het anders vol? Uit de manier waarop Jeremiah geportretteerd werd, en hoe hij zichzelf afbeeldde, kwam hij eerder over als een verbitterd man. Maar ja, dat krijg je ervan als je iets onbereikbaars ambieert.

De vrouw die met uitgestoken hand naar mij toeliep, was weinig meer dan een kleerhanger voor de mouwloze jurk die om haar lichaam hing. Haar sleutelbeenderen staken zo ver uit dat het leek alsof je je vingers erachter kon haken en haar eraan kon optillen. Donkere kringen onder haar ogen reikten tot halverwege haar neus, die, in contrast met haar kin, klein en elegant was. Ze was een jaar of veertig, misschien iets jonger, en stelde zich voor als Melissa Crena, tijdelijk voogdes van Josie. De geur van mottenballen bereikte mijn neus en ik hoorde Josie minachtend snuiven terwijl ze achter Melissa en mij langs liep en aan tafel ging zitten.

'Josie had al gezegd dat je zou komen. Kom, schuif aan,' zei Melissa terwijl ze het speldje dat haar pony opzij hield, aanduwde. Er zat een blinkend steentje op in de vorm van een zeester. 'Ze wist niet precies hoe laat je er zou zijn.' Melissa pakte de theepot en hield hem schuin boven mijn kopje. 'Thee?'

'Graag,' zei ik welgemanierd want ik vond thee smerig. Ik keek naar Josie, die haar armen onder de tafel hield en haar kin op het tafelblad liet leunen. Hoe wist dat kind dat ik van plan was bij haar langs te gaan? 'Ik was eerlijk gezegd niet van plan om te komen.'

'Soms brengt het leven je als vanzelf naar vreemde oorden.'

'Ik weet altijd wel waar ik heen ga. Ik geloof niet in voorbestemming.'

'Voorbestemming?' Melissa plaatste de theepot op het theelichtje. 'Zo bedoel ik het niet. Ik ben van mening dat je altijd invloed hebt op je handelen.'

Wat was dit voor gesprek? Ik wilde met Josie praten, en nu zat ik filosofisch te keuvelen met haar kinderoppas. 'Hoe dan ook, fijn dat u mij wilt ontvangen.'

Josie ging rechtop zitten en keek mij strak aan. 'Fijn dat ík jou wil ontvangen, bedoel je.' Ze wees naar zichzelf. 'Dit is nu mijn huis. Melissa heeft hier niets te zoeken en jij bent bij mij te gast.'

'Eh, ja, sorry, natuurlijk,' zei ik. Melissa hield haar theekopje zo stevig vast dat haar knokkels wit waren. Haar gezicht was rood aangelopen.

'Zo is het toch, Melissa?' Josie boog zich voorover en prikte Melissa met haar vinger in haar bovenarm. 'Ik weet wat je denkt. Ik weet dat je het vreselijk vindt om met mij opgescheept te zitten. Maak je maar geen zorgen, want er wordt binnenkort vast een rooster opgesteld. Kunnen jullie mij in toerbeurten lastigvallen met jullie aanwezigheid. Dat zou ik niet erg vinden, want ook ik, Melissa, zie je liever gaan dan komen. Net als iedereen.'

Melissa keek mij aan. Er sprak zoveel wanhoop uit haar blik dat ik iets wilde zeggen om haar gerust te stellen toen ik een knal hoorde. Alle drie keken we naar Melissa's gekromde handen, gevuld met wat er van het theekopje over was. Uit een snee in de muis van haar hand drupte bloed op de scherven.

Ik schoot omhoog, zoekend naar iets waarmee ik het bloed kon stelpen. Melissa greep een servetje van het dienblad, hief haar arm en begon het bloed weg te vegen. Straaltjes stroomden langs haar onderarm. 'Laat mij maar,' zei ik en nam het servetje van haar over.

'Heb je bij de padvinderij gezeten, Evander?' vroeg Josie, die niet van haar plek was gekomen.

Woedend keek ik haar aan. 'Haal verband, iets. En water en een doek. Schiet op!'

Ze slofte de kamer uit terwijl ik Melissa's trillende hand op tafel legde en het servetje in haar handpalm drukte. 'Doet het pijn?'

'Ik ben wel wat gewend,' zei ze zacht. Het speldje was uit haar haren gegleden en hing doelloos aan een haarstreng. Ik trok het eruit en legde het op tafel. Haar mottenballenlucht vermengde zich met de metalige geur van bloed; een misselijkmakende combinatie. Ik vroeg haar of Josie altijd zo tegen haar deed.

'Ze heeft natuurlijk veel doorgemaakt. We moeten het haar maar niet kwalijk nemen, ze zit erg slecht in haar vel,' antwoordde Melissa op hetzelfde moment dat Josie de kamer binnenliep met een verbanddoos in haar handen waar een bak water op balanceerde. Ze had een theedoek als een tulband om haar hoofd gewikkeld.

'Nu is dat in mijn situatie altijd al zo, toch Melissa?'

'Ja, natuurlijk, ik...'

Met een klap zette Josie de spullen op tafel, wikkelde de theedoek van haar hoofd en legde die ernaast. Ik schoof hem onder Melissa's hand.

'Je kleineert me, Melissa. Van iedereen in Quisco ben jij degene die moet weten hoe erg dat is. Vervelend hoor, om gekleineerd te worden. Nare, nare mensen zijn dat. Dat moet je toch met me eens zijn?'

Melissa liet haar hoofd hangen. Haar nekwervels priemden door haar huid. Wat was dit voor vertoning? En wat bedoelde Josie met die opmerking dat Melissa moest weten hoe het voelde om gekleineerd te worden? Ik maakte de wond schoon en wikkelde er een verband omheen terwijl de spanning tussen Melissa en Josie boven mijn hoofd knetterde.

'Hallo? Ik vroeg je iets,' zei Josie.

Melissa hief haar hoofd op. Ze had rode vlekken in haar hals en haar ogen waren vochtig. Ik legde een knoop in het verband en gaf een klopje op haar hand. 'Ik heb er weinig verstand van, maar misschien moet het gehecht worden. Je zou er eigenlijk mee naar een dokter moeten.'

'Laten we die nou net niet hebben,' zei Josie. 'Is dat even pech.'

Met een bedroefd gezicht pakte Melissa de theedoek en wreef het tafelblad schoon. Ik vond het prijzenswaardig dat ze zo rustig bleef. Ik had dat kind allang de wind van voren gegeven.

Terwijl Melissa met een hand de scherven bijeenraapte en ik de verbanddoos afsloot, zei Josie: 'Heb je zin om een wandeling te maken, Evander? Ik ken een schaduwrijke route. Melissa zal ons vergezellen, hè, Melissa? Zo zijn de regels.'

Regels? 'Melissa, kan dat wat jou betreft?' vroeg ik.

Ze bekeek haar hand. 'Ik denk het wel. Laten we dan maar meteen gaan, dan zijn we voor de lunch weer thuis. Eet je mee?'

'Nee, dank je. Ik eet bij Selma.'

Josie grinnikte. 'Selma is een beroerde kok. Veel sterkte.'

'En jij veel sterkte met insmeren,' zei Melissa triomfantelijk. 'In dikke lagen hè, anders gaat het mis. Je weet wat er gebeurt als je ook maar een klein stukje overslaat. En denk aan je hoed!' riep ze tegen de deur die achter Josie was dichtgevallen en ze liet zich met een zucht in haar stoel zakken. 'Het kind heeft geen pigment. Ze verbrandt waar je bij staat.' Ze keek me aan. 'Je hoeft er niet van te schrikken, hoe ze tegen mij doet. Dat gebeurt vaker.'

'Volgens mij schrok je er zelf nogal van.'

'Ze raakte een gevoelige snaar. Laat dat maar aan Josie over. Het kind is niet opgevoed. Martha liet Josie begaan, ze was van het leven-en-laten-leven-principe. Maar ja, als je kinderen laat leven, gaat het mis.'

'Ik neem aan dat je het er weleens met Martha over hebt gehad? Jij hebt Josie toch jarenlang verzorgd?'

'Ouders opvoeden is onbegonnen werk en tot mislukken gedoemd. Enfin, je ziet wat ervan is geworden. Wij zijn aan haar gewend.'

'Toch zal ze moeten leren rekening te houden met de gevoelens van anderen.'

'Voor Josie is dat niet noodzakelijk. Ze heeft geen sociale omgang.'

'Ze moet toch weten hoe het hoort? Voor later? In de maatschappij is ze reddeloos verloren met zo'n houding.'

'Josie hoeft het daar niet te redden. Wij zijn haar maatschappij. Ze kan nergens anders gedijen. Daar is het te laat voor.'

'Te laat? Hoezo te laat? Het kind heeft een heel leven voor zich. Stel dat ze wil gaan studeren? En als ze in Quisco blijft, zal ze de liefde nooit kennen. Willen jullie haar dat ontnemen?'

'Om de liefde te kennen moet je die kunnen geven.' Ze frummelde wat aan de knoop van haar verband en vroeg zonder mij aan te kijken: 'Kun jij die geven?'

Wat een vreemde vraag. En wat ging het haar aan? 'Natuurlijk kan ik die geven.'

'Dat weet je zeker?'

'Ja. En ik gun Josie hetzelfde.'

'Erg aardig van je, maar Josie blijft in Quisco. Dit is waar ze thuishoort.' Ze legde haar hand op mijn arm. 'Geloof me, Evander. Het is voor iedereen het beste dat ze bij ons blijft.'

Ik stond op het punt Melissa te vragen wat ze daarmee bedoelde, toen Josie binnenkwam. De zonnehoed die ze droeg bedekte de helft van haar gezicht. Aan de achterkant zat er een sjaal aan vast die haar nek en schouders bedekte. Ze hief haar hoofd iets op. Vegen crème zaten als oorlogsstrepen op haar wangen. 'Ik ben klaar.'

○ ○ ○ ○ ○

Aan de manier waarop ze mij beetpakte voelde ik dat ze zich afvroeg waar ze aan begonnen was. Aan mij dus. Kinderen voelen dat. Ons maak je niets wijs. Ik waardeerde haar pogingen, maar daar hield mijn begrip op. Als je geen idee hebt wat je met een kind aan moet, begin er dan niet aan. Zo simpel is het.

Ik weet dat ze het er moeilijk mee had dat ik niet reageerde zoals verwacht. Dat ik niet teruglachte als zij lachte. Dat ik niet spartelde en kraaide van plezier zoals de bedoeling was. Dat ik haar moedermelk niet gulzig opzoog maar mijn hoofd van haar tepels afwendde. Ik was niet verantwoordelijk voor haar geluk. Zij was verantwoordelijk voor dat van mij en dat liet ze na.

Hoe ze mij bejegende was wanstaltig en de kinderlijke toon waarop ze tegen mij sprak was misselijkmakend. Artsen beweren dat het normaal is, wijten het aan de maag van de baby die moet wennen. Dat kan voor veel baby's opgaan, maar het geldt niet voor ons allemaal. Wij uitzonderingen geven over omdat we weten wat ons te wachten staat. Niet iedereen is tegen het leven opgewassen. Niet iedereen kijkt ernaar uit.

Zodra het mijn moeder te heet onder de voeten werd, regelde ze iemand om voor mij te zorgen. De drogreden was dat ze mij niet kon bieden wat ik nodig had omdat ze vaak weg was. Aperte onzin. Ze werkte gewoon vanuit huis.

De vrouw die door mijn moeder als kindermeisje was aangesteld, kwam het goed uit dat ik apathisch was. Dat was overigens een door mij bewust gekozen houding, want zo hield ik energie over om mijn brein te ontwikkelen. Ik lag de hele dag na te denken, perplex over de wereld waarin ik terecht was gekomen en over hoe ik werd behandeld.

Ik hoopte dat ik iemand van mijn leeftijd tegen zou komen. Dan kon ik mezelf vergelijken. Maar de vrouw die mij gebaard had, schermde mij zorgvuldig af van de buitenwereld, alsof ik een beschermde diersoort was die door een menselijke aanraking geïnfecteerd zou worden met een dodelijk virus.

○ ○ ○ ○ ○

12

Dᴇ ᴘɪᴛᴛᴏʀᴇꜱᴋᴇ landweg werd geflankeerd door een rij eiken, de stammen zo dik dat er minstens twee mensen nodig waren om er een gesloten kring omheen te maken. Hun schaduw zorgde voor een aangename temperatuur. In de wei achter de bomenrij stonden koeien van een ras dat ik niet kende. Hun spieren ribbelden onder hun witte vacht en hun hoorns staken als tweetandige hooivorken kaarsrecht uit hun schedels.

'Gaat het altijd zo?' Ik gebaarde met mijn hoofd naar achteren, waar Melissa als een victoriaanse chaperonne op ongeveer vijftien meter afstand achter ons liep en haar in verband gewikkelde hand als een kwetsbaar kuikentje vasthield.

'Ja, ze zorgen uitstekend voor het kind. Ze verliezen het kind geen moment uit het oog.'

Ik begon te lachen maar stopte toen ik Josies gezichtsuitdrukking zag. 'Nooit?'

'Ik ben het gewend. Nog sorry van daarnet, maar Melissa's

toontje schoot me in het verkeerde keelgat. Meestal laat ik niet zoveel van mezelf zien. Dat gaat ze niks aan.'

Omdat ik niet zo goed wist wat ik moest zeggen, zei ik: 'Misschien zijn ze inderdaad wat overbezorgd. Maar je bent uiteindelijk nog maar een kind.' Mijn eigen woorden klonken me belachelijk in de oren. Waarom moest ze in de gaten worden gehouden? Wat voor gevaar liep dit meisje op deze luttele vierkante kilometers waar je geen stap kon zetten zonder dat iemand het opmerkte, hetgeen de verdwijning van Martha Mulder nog onbegrijpelijker maakte. Ik begreep het niet.

'Je begrijpt het niet, Evander. Ik sta onder constant toezicht.'

'Maar waarom? Wat kan jou in Quisco nou overkomen? Volgens mij is dit de veiligste plek op aarde. Of ben jij soms degene die een gevaar vormt voor haar omgeving?' Ik stootte haar speels aan waarop het fascinerende kind met de witte vlechten en het bleke gezicht vanonder haar hoed stuurs naar mij opkeek.

'Zoiets,' zei ze en schopte tegen een steentje.

Waar sloeg dat nou weer op? 'Aha, ik snap het al. Jij gaat ons zeker te lijf als we jou de rug toekeren,' zei ik lacherig.

'Als ik jou was zou ik alles wat serieuzer nemen, te beginnen met mij.' Ze ging voor me staan en trok me aan mijn T-shirt naar zich toe. Er hingen velletjes aan haar gebarsten lippen en haar oogwit was gelig. Ik voelde haar lichaamswarmte koortsig van haar af slaan. 'Je moet goed opletten, Evander. Je moet kijken, luisteren en nadenken. Niets is hier wat het lijkt.'

Aha, nog iemand met dat advies. Ik begon te grinniken, maar stopte daar subiet mee toen ik haar gezichtsuitdrukking zag. 'Sorry,' zei ik, 'maar je formuleert het zo melodramatisch.' Ik spreidde mijn armen en begon te declameren: 'Niets is wat het...'

'Ik merk dat je het allemaal nogal lachwekkend vindt.'

'Sorry, ik begreep niet dat... Ik vind je zo zwaarmoedig. Ik wilde het gesprek wat luchtiger maken.'

'Luchtige gesprekken zijn een zinloos tijdverdrijf. Ik meende wat ik zei.'

Wat bedoelde ze? Werd ze hier soms slecht behandeld? Ik legde mijn handen op haar schouders en zakte door mijn knieën. Ik voelde haar schouderbotten tegen mijn vingers drukken. Het kind was broodmager. 'Zijn er hier mensen die jou pijn doen?' Ze wendde haar gezicht af. 'Josie? Word je slecht verzorgd? Kijk me eens aan.' Ze keek me aan en schudde haar hoofd.

Ik kneep haar zachtjes in haar bovenarmen. 'Je kunt mij vertrouwen. Ik wil dat je dat weet. Als ik je kan helpen, moet je het zeggen.'

Ze greep mijn hand en pakte mijn duim stevig beet. 'Ze vinden me raar, Evander. Ze blijven liever op afstand. Ken je dat, dat mensen je ontwijken zonder dat je weet waarom? Dat je merkt dat ze het liefst ver uit je buurt blijven? Dat je geen idee hebt wat je fout hebt gedaan, maar als iemand met een besmettelijke ziekte wordt behandeld? Herken je dat?'

Er ging een steek door mijn maag. 'Ja,' zei ik waarop Josie mij een kneepje in mijn duim gaf.

Terwijl we in stilte doorliepen – ik maakte een stap waar Josie er precies twee nodig had – merkte ik dat ze vanuit haar ooghoeken af en toe naar mij keek. Ik kon het gevoel dat ze mij gaf niet plaatsen. Ik voelde me in haar aanwezigheid ongemakkelijk omdat ze mij door en door leek te kennen, maar tegelijkertijd voelde ik me bij haar op mijn gemak. Herkende ik de eenzaamheid waarmee haar wezen doordrenkt leek te zijn, waardoor ik de indruk kreeg dat ik een band met haar had? Twee zielen, één gedachte? Opeens viel het me op dat ik de warmte van haar hand om mijn duim niet meer voelde. Hadden we elkaars lichaamstemperatuur overgenomen? Ik vormde een eenheid met een kind van...

'Hoe oud ben je eigenlijk?'

'Bijna tien.'

... van negen dat deed voorkomen alsof ze alwetend was waar het mij betrof en daarnaast liet doorschemeren dat ze precies wist wat er zich allemaal in Quisco afspeelde.

'Josie, weet jij soms meer van de verdwijning van je moeder? Weet je waar ze is?'

Achter ons hoorde ik Melissa hoesten. 'Die heeft astmatische bronchitis. Ze krijgt het hartstikke snel benauwd,' zei Josie. Ze glimlachte haar tandjes bloot die gelig afstaken tegen haar huid en liet mijn duim los. Terwijl ze de pas erin zette, vroeg ze of ik al naar de bibliotheek was geweest.

'Nog niet. Is het de moeite waard?'

'Er is ook een soort stadsarchief.'

Wist zij van mijn opdracht? Of dat Rick Shade mij had gevraagd een artikel te schrijven? Nee, dat was onmogelijk. 'Ik lees nu een boekje over de geschiedenis van Quisco. De auteur is in jullie bibliotheek geweest om informatie te vergaren en hij zegt dat alles wat hij heeft gevonden in zijn boek staat. Veel is het niet.'

'Een goede reden om er zelf eens een kijkje te gaan nemen. Voor degene die er met andere ogen naar kijkt, zit in eenzelfde archief heel andere informatie. Het hangt er maar van af welke bronnen je raadpleegt en hoe je die interpreteert. En het hangt er ook van af waar je naar op zoek bent. Ik kan het je aanraden. Ga erheen, kijk met andere ogen, zoek met andere ogen.'

'Josie, vertel me nou eens gewoon wat je bedoelt. Je praat de hele tijd in raadsels. Waarom doe je zo geheimzinnig?'

'Het is niet aan mij jou te helpen zoeken naar wat ik al heb gevonden. Je moet het zelf doen.'

Hopeloos. Maar dat stadsarchief klonk interessant. Misschien vond ik daar iets over Martha Mulder wat door anderen over het hoofd was gezien, want ik was tenslotte in Quisco om een artikel aan haar te wijden. 'Nou vooruit, ik zal ernaartoe gaan. Jullie burgemeester heeft mij net gevraagd een artikel over Quisco te schrijven, dus misschien vind ik daar wat bruikbare informatie.'

'Dat weet ik.'

'Hoe weet je dat?'

'Omdat iedereen het weet. Dus dat lijkt je wel wat, een oppervlakkig artikeltje schrijven over Quisco?'

Aangezien dat het enige was wat ik momenteel uit mijn vingers kreeg, leek me dat inderdaad wel wat. Ook hoopte ik door deze klus de smaak weer te pakken te krijgen. Wat ik tot nu toe aan mijn schrijfblokkade had gedaan was met stijgende wanhoop naar de nietszeggende zinnetjes van mijn nietszeggende stukjes staren. 'Als ik binnen mijn vakgebied iets voor anderen kan betekenen, doe ik dat graag.'

'Je doet het alleen voor jezelf, Evander.'

Iets keerde zich in mij om. Het was een vreemd gevoel, alsof ik in een boot zat die een ferme zet kreeg waardoor hij in een andere koers werd gebracht en ik flink door elkaar werd geschud. Ik ervoer het als onprettig en drukte het gevoel succesvol weg. Ik was daar goed in.

Op het ritme van Melissa's gehijg liepen we door. Het landweggetje maakte een artificiële U-bocht en leidde ons naar een houten brug. Leunend over de reling keken we naar het water dat eronderdoor stroomde. Het was pretparkmateriaal, alsof de heldere kabbelende beek – zelfs het geluid klonk onecht – rechtstreeks uit een drinkwaterreservoir kwam. Waterplanten zwierden elegant door het water en de stenen op de bodem leken met de hand gepolijst.

'Ik zie helemaal geen vissen,' zei ik. 'Raar. Misschien is dit deel van de beek te koud.' Alsof ik daar verstand van had. In de reflectie van het water zag ik Josie haar schouders ophalen. 'Je moeder, wat was zij voor een vrouw? Omschrijf haar eens,' vroeg ik.

Josie drukte haar wijsvinger op haar neus en keek naar Melissa die aan de andere kant van de brug met de rug naar ons toe op een steen zat. 'Mijn moeder... We konden niet zo goed met elkaar opschieten.'

'Mochten de mensen haar?'

'Dat weet ik niet. In Quisco zijn de mensen niet innig met elkaar bevriend.'

'Vreemd. Jullie hebben elkaar volgens mij hard nodig.'

'Dan hoef je nog niet met elkaar bevriend te zijn. In een vriendschap praat je over dingen die je bezighouden. Over je toekomst, over je dromen, je hoop, over je verleden, allemaal onderwerpen waar ze het in Quisco liever niet over hebben.'

'Ik begrijp dat het leven hier enigszins stilstaat, maar over je verleden kun je toch wel praten?'

'Als je een verleden hebt waarin niet alles even soepel is verlopen, vergeet je het liever. Praat jij graag over jouw verleden?'

'Ik heb mijn verleden nog niet afgerond,' grinnikte ik. 'Ik zit er middenin.'

Ze keek me peinzend aan. 'Dat wil trouwens niet zeggen dat je er niet achter kunt komen hoor, wat deze mensen beweegt. Je moet goed kijken, goed luisteren.'

'Ik ben hier voor mijn rust, Josie, niet om uit te zoeken wat de inwoners van Quisco bezighoudt.'

'Het dringt nog steeds niet tot je door hoeveel geluk je hebt. Je logeert ergens waar niemand ooit heeft gelogeerd en door die opdracht van de burgemeester zal iedereen al je vragen beantwoorden. Maak er gebruik van.'

'Waarom zou ik?'

Ze zuchtte. 'Vind je het een uitdaging? Een positief artikel over Quisco schrijven in opdracht van de burgemeester? Heb je er geen behoefte aan om, nu je er toch bent, volop gebruik te maken van je bevoorrechte positie?'

'Ik begrijp je niet.'

'Denk er dan maar eens goed over na.'

13

NADAT IK op mijn donder had gekregen – ik was ruim een uur te laat – gingen we aan tafel. Het liefst was ik meteen naar boven gegaan. Het gesprek met Josie hield me bezig en ik wilde er in alle rust over nadenken, maar die was mij nog niet gegund.

Selma had de term al dente vrij letterlijk genomen en het overmatige gebruik van rode pepers in de saus had mijn smaakpapillen verdoofd. Met lange tanden nam ik een volgende hap terwijl Selma me met een tevreden knikkend hoofd aankeek. Ze plantte haar mes en vork stevig in de spaghetti en begon verwoed te snijden.

'Hebben ze er iets over gezegd?'

'Waarover?'

'Vast wel.' Ze kantelde haar hoofd naar het raam. 'Die lui. Ik weet heus wel hoe ze praten over mijn kookkunst. Ze hebben totaal geen smaak als het op eten aankomt.'

'Lekker laten praten,' zei ik paniekerig en nam een slok water om de harde spaghettistukjes en het brandende gevoel in mijn mond weg te krijgen.

'Hoe bevalt het je tot nu toe bij ons?'

'Goed.'

'Je klinkt een ietsepietsje verbaasd. Je had vast verwacht dat we je argwanend zouden bekijken en dat we ons als achterlijke dorpelingen zouden gedragen, van die types die nieuwkomers het liefst zo snel mogelijk zien vertrekken. En als het niet goedschiks gaat, dan maar kwaadschiks. Heb ik gelijk?'

'Nou, om eerlijk te zijn is dat precies zoals ik het me had voorgesteld. Het valt me enorm mee.'

'Ik ben blij te horen dat we niet aan je verwachtingen hebben voldaan.' Ze keek me aan als een herkauwende koe. Charmant was anders. 'Ik begreep dat Rick Shade je heeft gevraagd een artikel over ons te schrijven?'

Iedereen wist het inderdaad.

'Hij heeft ons verzocht onze medewerking te verlenen, en je kunt ervan op aan dat daar gehoor aan wordt gegeven.'

'Mag ik u ook interviewen?'

'Je logeert bij mij en wij praten over Quisco. Van onze gesprekken mag je wat mij betreft alles gebruiken.'

'Heeft u ze nog gevonden, trouwens?' Ik trok de saladekom naar me toe, schepte flink op en stak een stuk sla in mijn mond. De azijn was zo overheersend dat mijn gezicht vertrok.

'Wat?'

'Muizen?'

'Nee, helaas. Niet te veel water drinken, Evander, er moet nog eten in je maag.' Ik knikte en hoopte dat mijn wanhopige blik onopgemerkt bleef. 'Vertel, wat heb je allemaal uitgespookt?'

Ik vertelde haar over mijn wandeling met Josie en Melissa. 'Wat vindt u van Josie?'

Ze keek even op en boog zich weer over haar bord. 'Hoezo?'

Hoezo? Moest ik dat nog uitleggen? 'Nou, om te beginnen haar hele voorkomen.'

'Dat ze zo bleek is bedoel je? Ja, ze ziet er inderdaad wat vreemd uit.'

'Ze ziet er vooral ziek uit. Is ze wel in orde? Ze is broodmager.'

'Geen idee. Melissa is verantwoordelijk voor haar welzijn.'

'Maar ook hoe Josie praat en wat ze zegt.'

'Misschien ben je niks gewend, Evander. Heb je het zo al bekeken? Je kunt wel denken dat je alles weet omdat je uit de grote stad komt' – bij het woord 'grote' sperde ze haar ogen en wiebelde wat met haar hoofd – 'maar dat is natuurlijk onzin. Josie heeft geen normale jeugd gehad, niet zoals jij en ik.' Het als normaal bestempelen van mijn jeugd liet ik graag aan anderen over. Ik dacht er het mijne van. 'Als kind opgroeien met alleen oudere mensen om je heen tekent je,' vervolgde ze. 'Het kan zijn dat ze zich daarom in jouw ogen vreemd gedraagt, maar ergens heb je wel gelijk hoor. Josie is inderdaad anders.'

'Ze praat over de verdwijning van haar moeder alsof het haar totaal niet raakt.'

'Misschien is dat ook zo.'

'Het is toch haar moeder?'

'Nou en? Is houden van je moeder een wetmatigheid? Een van bovenaf opgelegde plicht?'

'Nee, maar je zou toch zeggen dat...'

'Hield jij van je moeder?'

'Natuurlijk.'

'Fijn voor je dat je die bevestiging zonder enige reserve uit je mond krijgt. Jammer dat we niet allemaal zo stellig kunnen zijn.' Selma maakte met haar vork prikbewegingen naar de zijkant van haar schedel. 'In Josies hoofd werkt het anders dan bij de meeste mensen.'

Er viel een spaghettisliertje in haar haren en ik maakte haar daarop attent. 'Hoe werkt het dan in haar hoofd?' vroeg ik.

'Dat weet ik natuurlijk niet, maar in elk geval anders.' Selma pakte het zoutvaatje en strooide ruim zout over haar sla. 'Ik kan me de eerste keer nog herinneren dat ik Josie zag. Ze was toen een paar maanden oud en Martha liep met haar over straat. Geïnteresseerd boog ik me over de kinderwagen zoals van je verwacht wordt. Echt, Evander, het is onaardig om te zeggen maar Josie was het lelijkste kind dat ik ooit had gezien. Ze leek op zo'n haarloze kat, ken je die? Ik stak mijn hand uit om haar plichtmatig over haar wang te aaien. Vlak voordat ik haar aanraakte, gingen haar ogen opeens open. Haar oogopslag was zo indringend, alsof ze dwars door me heen keek. En die lange, witte wimpertjes... Van schrik trok ik mijn hand terug. Martha merkte het meteen en vertelde dat Josie haar ook zo aankeek en dat ze zich daar ongemakkelijk onder voelde. Daarom was ze gestopt met het geven van borstvoeding. Ze kon de blik van haar eigen kind niet verdragen. Triest, hè? Zoiets moet fnuikend zijn voor de ontwikkeling van een goede moeder-kindrelatie. Wat ik hiermee wil illustreren is dat Josie een geval apart is en onmogelijk als een normaal kind kan worden bestempeld.'

'En die regel dat er altijd iemand bij haar moet zijn? Josie zei dat het kwam omdat jullie bang van haar zijn, iets van die strekking. Is dat zo?'

Ik had het gevoel dat Selma mijn blik ontweek door een slokje water te nemen en zich vervolgens over haar bord te buigen. 'Het is aan haar opvoeders of ze zonder begeleiding naar buiten mag. Josie is en blijft een kind, hoe volwassen ze zich ook gedraagt. En kinderen zijn onvoorspelbaar. Niemand weet wat er in hen omgaat.'

'Als die opvoeder nooit meer terugkomt, wie gaat er dan voor haar zorgen?'

'Hoezo komt Martha niet meer terug?'

'Josie is ervan overtuigd dat haar moeder dood is. Ik kan me voorstellen dat ze...'

'Zegt ze dat?'

'Wat ik zeggen wilde, is dat ik me kan voorstellen dat ze die controle spuugzat is. Melissa bleef tijdens de wandeling de hele tijd een paar meter achter ons lopen. Leuk is anders. Ze zou liefdevol door iemand moeten worden opgevangen.'

'Josie merkt het verschil tussen wat ze nu krijgt en een liefdevolle opvang echt niet hoor. Geloof me maar.'

'Omdat ze dat nooit heeft gekend? Is dat het?'

Selma pakte mijn bord, schraapte de spaghetti terug in de pan. 'Ze is moeilijk te bereiken en leeft in haar eigen wereld. Het is goed dat zo te laten. Dat geeft verder niet, want we zijn hier allemaal een beetje wereldvreemd,' zei ze en zette de borden op het aanrecht.

'We zullen het er toch mee moeten doen, met de wereld,' zei ik.

'Jezelf ervan vervreemden, daar is nooit iemand beter van geworden. Je kunt hoog of laag springen, maar het slechte valt echt niet uit te bannen.'

'Je kunt er wel voor zorgen dat de omgeving ontdaan is van prikkels, zodat die slechtheid geen kans krijgt de kop op te steken.'

'Hoe dan?' vroeg ik. 'Neem hebzucht.'

'Wij hebben daar geen problemen mee. Iedereen in Quisco bezit evenveel.'

Ik was geen voorstander van ongelijkheid, maar een beetje verschil kan een persoon net dat ene zetje geven iets van het leven te maken in plaats van achterover te leunen. Van nature is de mens een lui wezen en zal er alles aan doen om het zichzelf zo eenvoudig mogelijk te maken. Vertel mij wat. 'Dat is al geprobeerd. Het werkt niet.'

'Je moet er ook iets tegenover stellen.'

'Zoals?'

'Een menswaardig bestaan.' Ze zette de vaat in de gootsteen, stak haar handen in haar zij en keek hoofdschuddend uit het raam. 'Martha, Martha, waar hang je toch uit?' Ze keerde zich naar me toe. 'Ik kijk heel erg uit naar jouw artikel. Al die onzin die over ons is geschreven. Heb je gelezen wat ze zeiden toen bekend werd dat Martha verdwenen was?'

Ja, ik had ze gelezen. Alle stukken over Quisco – waaronder die in mijn krant – insinueerden dat de inwoners van Quisco iets met de verdwijning van Martha te maken hadden. Dat ze hier samenspanden, meer wisten dan ze lieten blijken en hun lippen stijf op elkaar hielden. Ze werden neergezet als een soort sekte, want waarom zouden ze anders bezoekers weren? En waarom woonden er geen kinderen? Dat was toch abnormaal? Nee, het was overduidelijk dat in Quisco dingen gebeurden die voor anderen verborgen moesten blijven.

Ik vond het toen al sensatiebeluste onzinjournalistiek, maar nu helemaal. Ja, oké, de mensen die ik tot nu toe had ontmoet waren een beetje excentriek, maar insinueren dat ze een misdrijf op hun geweten hadden, ging te ver. Hun ontvangst was afstandelijk maar niet onvriendelijk en ze hadden een onbevangenheid die ik charmant vond. Maar nu spookten de woorden van Sharon en Josie, dat in Quisco niets is wat het lijkt, door mijn hoofd. Wat hielden ze dan verborgen?

'Beloof je me dat, Evander, dat het een positief stuk wordt?'

Ik beloofde het en Selma keek me zo hoopvol en vol vertrouwen aan, dat ik een knoop in mijn maag voelde. 'Ik ga even wat werken, ik wil alvast een opzet voor dat artikel maken.'

'Neem dit dan mee,' zei ze terwijl ze een kommetje in mijn ene hand drukte en in mijn andere een lepel. Er dreven klonten in de lichtroze substantie en het rook naar verpieterd fruit.

'Zelfgemaakt. Vla met aardbeienmoes.'

◦ ◦ ◦ ◦ ◦

Mijn beperkte eetlust was mijn moeder een doorn in het oog. Ik zag aan haar gezicht dat ze het voedsel er het liefst in zou proppen. Maar ik weigerde. Ik proefde de haat die in haar eten verborgen zat, als een kruid dat ze overal overheen strooide.

Op een dag keek ik naar haar met een van woede verwrongen gezicht terwijl ze de lepel pijnlijk hard tegen mijn lippen drukte. Ik besloot haar haat in grote porties tot me te nemen en sperde mijn mond als een pasgeboren vogel open.

Vanwaar die ommekeer? Omdat het tot mij doordrong dat alles beter was dan geen gevoel hebben. Daarom voedde ik mij met haar haat. Het hielp.

◦ ◦ ◦ ◦ ◦

14

Nadat ik een halfuur lang geconcentreerd naar het lege vel had zitten staren, besloot ik het anders aan te pakken. Ik opende *Een geschiedenis van Quisco* en pende de inleiding over. De woorden en zinsconstructies die ouderwets aandeden, paste ik aan. Toen ik klaar was, vervloekte ik mezelf. Hopeloos. Wat was er nou zo ingewikkeld aan? Waarom kreeg ik de zinnen in mijn hoofd wel gevormd, maar kreeg ik ze niet op papier? Het leek alsof mijn woorden, zodra ze de benige veiligheid van mijn schedel verlieten, de weg kwijtraakten. Misschien zou een bezoek aan dat stadsarchief waar Josie het over had gehad iets losmaken. Ja, ik moest mijn scherpte behouden, actief blijven en niet wegzakken in de mij welbekende lethargische gemoedstoestand.

Stapvoets reed ik door de straten. Door wat Josie had gezegd, leken de gevels van de huizen nu van bordkarton en had het omliggende groen veel weg van een filmdecor. Alles zag er even keurig uit en eenheid was het devies. Ze pretendeerden in Quisco hun eigen plan te trekken, maar ondertussen droop het conformisme er vanaf. Creativiteit en eigenheid vonden hier geen waardering.

De deur van de bibliotheek stond open. Binnen was het koel en het rook er opvallend fris, alsof hij sinds kort in gebruik was genomen.

Ik bevond me in een achthoekige ruimte. Zeven van de acht muren werden in beslag genomen door boekenkasten die tot aan het plafond reikten. In de achtste wand zat een doorgang waar een handbeschilderd bordje met het woord MUSEUM boven hing. Links van de ingang stond een katheder die sterk naar boenwas rook. Uit het boek dat erop lag, hing een touwtje waar een potlood aan bungelde. UITGELEENDE WERKEN stond er op het etiket waarvan de zijkanten licht omkrulden.

Het uitleensysteem was van een kinderlijke eenvoud. Je noteerde de titel, schreef je naam op en de datum waarop je het boek uit de bibliotheek had gehaald. In de laatste kolom, die opvallend veel hiaten vertoonde, vulde je in wanneer je het had teruggebracht.

Ik bladerde erdoorheen. Het viel me op dat Josie een veelgebruiker was en een uiteenlopende smaak had. Naast romans las ze veel non-fictie. Glimlachend keek ik naar de titels die ook ik in mijn jeugd had verslonden en bladerde door tot de laatste inschrijving. Die was van Josie. Ze had het boek geleend op de dag dat ik in Quisco was gearriveerd: *Getijdenkracht; wanneer zon en maan samenkomen*. Ik bedacht dat ik ongeveer even oud was als Josie toen ik dat had gelezen.

Ik sloeg het logboek dicht en slenterde langs de boekenkasten. Verder dan op alfabet ging de ordening niet. Een naslagwerk over de inrichting van moestuinen stond gemoedelijk naast een klassieke roman. Ik vond het opvallend dat ze in Quisco, waar mensen zich verre hielden van wat er in de wereld gebeurde, over zo'n uitgebreide collectie beschikten. Vonden ze in die boeken een bevestiging om in Quisco te blijven? Of voldeed het leesvoer juist aan hun behoefte de plek waar ze naartoe gevlucht waren te ontvluchten?

Ik zag niets wat op een archief leek, dus stapte ik de doorgang in de achtste wand in, tastte naar het lichtknopje en duwde het omhoog.

Gecentreerd op de linkerwand hing de poster waar Selma over had verteld: de afbeelding van Jeremiah waar Hazel voor gevallen was. Ik ging ervoor staan en keek, net als Hazel, in zijn zwarte ogen. Ik voelde ten dele wat zij had gevoeld. Jeremiahs doordringende blik ervoer ik als afstotend, maar tegelijkertijd trok hij me aan. Alsof hij zei: kom naar mij. Jij hoort bij mij. Blijf bij mij. In Quisco blijven? Ik hoorde helemaal niet in Quisco. Wat had ik hier eigenlijk te zoeken?

Ik rukte mijn ogen los van zijn hypnotiserende blik en bekeek de inhoud van de tafelvitrine die de hele muur besloeg. Er lagen een paar vellen papier in. Volgens de bijbehorende beschrijving was dit de afscheidsbrief van Jeremiah. Tegen de muur in de hoek stond een spade. Het blad was verroest en de houten handgreep was gebarsten. Op het bijbehorende kaartje stond dat dit de eerste spade was die in Quisco in de grond was gezet. Het enige andere expositieonderdeel bestond uit twee stoffen paspoppen. Ze stonden naast elkaar, de mouwen in elkaar gevouwen alsof ze elkaars hand vasthielden. De linkerpop droeg een zwart kostuum met daaronder een zwart gilet en een wit overhemd. Een hoge hoed balanceerde op de plek waar het hoofd had moeten zitten.

De andere was gekleed in een eenvoudige lange jurk van wit katoen. Een sluier hing eroverheen. Het kaartje bevestigde dat dit de trouwkleding van Jeremiah en Hazel betrof,

Ik kon me niet voorstellen dat Josie met het stadsarchief dit minimuseum bedoelde, maar meer was er niet. Ik veegde het stoflaagje van de tafelvitrine en boog me over de afscheidsbrief.

Jeremiah begon met het aanbieden van zijn verontschuldigingen aan 'mijn mensen', wat ik nogal megalomaan vond. Ik las de eerste pagina's vluchtig door en liep naar het einde van de vitrine. Op de laatste pagina stond een intrigerende alinea. Jeremiah schreef het volgende: 'Het was met een zeer goede reden dat U tot mij kwam en ik hoop dat ik U de veiligheid heb kunnen bieden waar U naar op zoek was, zowel lichamelijk als in Uw geest. Tevens hoop ik dat ik U het gevoel heb gegeven dat U hier, in tegenstelling tot elders, welkom bent en ook kunt zijn wie U bent. Ik hoop dat ik U de mogelijkheid heb gegeven in alle vrijheid te kunnen leven. Ik kan de achtervolging in Uw ziel nooit wegnemen, maar wel die in het werkelijke leven.'

 Wat bedoelde hij daarmee? Ik maakte een mentale notitie en las verder. 'Want goedheid, net als slechtheid, zit in ieder mens, zo ook in U. Voordat ik ga, wil ik U dit op Uw hart drukken, opdat U het nooit vergeet: telkens als U twijfelt over de schoonheid en zuiverheid van Uw ziel, bedenk dan dat ultieme schoonheid en zuiverheid voor niemand weggelegd zijn. Niet voor mij, niet voor U, voor geen enkele mens dat uitgegroeid is tot een rechtgeaarde volwassene. U hebt berouw getoond, tegenover de wereld of tegenover Uzelf. U kunt met een gerust geweten verder leven want U hebt geboet voor hetgeen U hebt gedaan, hebt geleden onder een straf die U niet altijd toekomt, maar die U toebedeeld is. Vergeet nooit: U bent hier niet alleen. Wij weten waarom U zo weent en waarom Uw binnenste rouw draagt.'

De tegenstelling tussen wat hij schreef en zijn uitstraling verwarde mij. Natuurlijk, het was allemaal wat hoogdravend opgeschreven, maar hier sprak geen starre sekteleider, eerder een humanist die de verstotenen der aarde een hart onder de riem stak.

Ik was benieuwd hoe hij zijn zelfmoord ging verantwoorden. Ah, daar stond het. 'Wat ik nu ga doen, is mijn persoonlijke wens. Dat ik teleurgesteld ben in mijn eigen kunnen, hoeft nog niet te betekenen dat U dat ook moet zijn. Ik heb mijn taak overgedragen aan iemand met meer verstand van zaken, iemand die zijn leven lang te maken heeft gehad met mensen zoals U. U zult daar weinig van merken. Alles zal in Quisco gaan zoals het altijd ging met een verschil: U zult worden geleid door iemand die de tijd die U rest bij U zal blijven. Hij zal U niet in de steek laten, dat kunt U van mij aannemen. Met een laatste groet zeg ik: houd Uw rug recht, Uw hoofd hoog en leef. Leef! Het ga U goed.'

Ik vond het nogal wat. Jeremiah die zijn mensen oproept om te leven en vervolgens de hand aan zichzelf slaat. Iemand in zijn positie had wel een voorbeeldfunctie.

Ik liep terug naar het begin van de brief en las hem deze keer helemaal. Inhoudelijk was het niet slecht. Hij benadrukte dat ze goed voor elkaar moesten zorgen en zich weinig moesten aantrekken van de buitenwereld. Vreemden zouden komen en weer uit zichzelf vertrekken want voor hen viel er in Quisco, net zomin als voor mensen die er niet konden aarden, toch niets te halen, liet hij weten.

Was dat Martha overkomen? Had ze geconcludeerd dat ze in Quisco niet op haar plek was? Had ze spijt van haar beslissing om zich hier te vestigen? Het leek me onwaarschijnlijk, want de mensen die ik tot nu toe had gesproken, beweerden dat Martha haar praktijk – haar kind was een tweede – nooit in de steek zou laten. Maar wat zei dat? De beweegredenen van mensen om tot een bepaalde keuze te komen zijn vaak moeilijk te achterhalen, niet in de laatste plaats omdat de meesten zich er niet eens van bewust zijn dat ze een keuze hebben.

Los van het feit dat kinderen niet welkom waren en de gebouwen wit moesten zijn, was ik nog geen strenge regels tegengekomen. Volgens mij leefden de inwoners niet onder een juk – Josie met haar ondertoezichtstelling uitgezonderd. Wat ze in de ogen van de wereld fout deden, was dat ze zich afscheidden van de rest van het land met als gevolg dat er kwaad over hen werd gesproken. Je distantiëren is voor velen nou eenmaal een doodzonde. Meedoen is het adagium en wijk je daarvan af, dan is het wachten op geruchten en verzinsels. Slimmer was te doen alsof je meedeed en er ondertussen het jouwe van denken, zoals ik. Maar in feite was Quisco geen haar beter. Ook hier beschouwden ze iedereen die er niet woonde als een buitenstaander. Het was een Mexican standoff in vooroordelen.

Voordat ik de ruimte verliet, werden mijn ogen naar de poster van Jeremiah getrokken. Weer die dwingende blik. Blijf. Blijf hier. Blijf bij ons.

Ik kan me dat moment nog goed herinneren, dat ik daar in de bibliotheek door Jeremiah werd overgehaald om te blijven. Niet dat ik toen per se weg wilde – die drang kwam pas een paar dagen later in alle hevigheid opzetten – maar hij haalde mijn twijfel over het nut en de noodzaak van mijn aanwezigheid weg. Het was alsofhij mij een doel gaf.

Ik heb me vaak afgevraagd wat er gebeurd zou zijn als ik toen Jeremiahs lokroep om in Quisco te blijven niet had laten prevaleren en ik naar mijn intuïtie had geluisterd. Als ik na mijn bezoek aan de bibliotheek meteen mijn spullen had gepakt en was vertrokken, zou ik dan ooit achter de waarheid zijn gekomen? Waarschijnlijk wel, want de confrontatie was onvermijdelijk. Het had alleen wat langer geduurd.

15

D E STRAAT die ik lukraak had genomen liep dood op een manshoog hek dat een opening bood tussen een rij vervaarlijk uitziende braamstruiken. In het weilandje erachter stonden drie beuken, zo dicht op elkaar dat ze één boom vormden. Hun schaduw was aanlokkelijk.

Ik klauterde het hek op dat onder de druk van mijn lichaamsgewicht onverwacht openzwaaide. Ik probeerde mijn evenwicht te bewaren maar ik verloor mijn balans en viel zijwaarts de braamstruiken in. Even had ik het idee dat ze zich speciaal voor mij openden en mij met hun takken omarmden. Vloekend spartelde ik met mijn benen terwijl hun doornen als tientallen injectienaalden in mijn huid staken. Het lukte me overeind te krabbelen en ik bekeek mijn pijnlijk kloppende armen. De schade viel mee. Ik raapte mijn notitieblok op en sjokte de schaduw in.

De bomen spreidden hun takken beschermend over mij uit en de wolkeloze hemel schemerde door het bladerdek. Ik leunde met mijn rug tegen de boomstam en dacht na over wat Josie had gezegd over het gebruikmaken van mijn positie. Hoe zou ik dat in Quisco in mijn voordeel kunnen laten werken? Hoe het moest, wist ik, want ik had het vaker gedaan mijn leven volgens plan te laten verlopen.

Mijn vader had een hoge functie bij een ministerie. Ik kan me hem niet anders herinneren dan op afstand. Hij riep me alleen bij zich als er bezoek was. Dan kneep hij me zogenaamd liefkozend in mijn wang. Het interesseerde hem geen moer wat ik deed of wie ik was. Maar hoe mijn moeder – ze was net als Martha huisarts – met mij omging, was veel erger. Haar aandacht was zo overdadig dat het leek alsof de warmte die ze mij gaf een plichtpleging was richting de buitenwereld. Als een volleerd actrice deed ze een moeder na. Dat hield van de een op de andere dag op. Ik was toen een jaar of negen volgens mij. Vanaf die leeftijd werd ik door haar slechts getolereerd. Een jaar later overleed ze aan de gevolgen van een fietsongeluk toen ze op weg was naar een patiënt.

Toen ik naar de middelbare school ging en cijfers belangrijk werden, leek mijn vader zich te realiseren dat hij een zoon had. Zijn interesse was voornamelijk gericht op mijn schoolprestaties en niet op mij als persoon. Dus besloot ik slechte cijfers te halen. Door mijn streven naar net-aan-voldoendes, voortgekomen uit mijn grenzeloze haat tegen zijn verwachtingen, gaf hij het op. Mijn vader deelde mij dit tijdens een zorgvuldig voorbereide monoloog mee.

Onzin natuurlijk. Grootspraak. Hij zou zijn handen nooit van mij aftrekken. Ik was immers zijn enige kind, en enig kind zijn heeft een groot voordeel: het geeft je macht. Het geeft je een positie waar je gebruik van kunt maken. Dus liet ik hem in reactie op zijn monoloog weten dat ik journalist wilde worden. Hij reageerde verbaasd, zei dat ik nooit belangstelling in die richting had ge toond. Dat had ik wel, maar zijn interesse in mij ging niet verder dan wat hij wilde zien. Mij zag hij nooit.

Zoals verwacht ondersteunde mijn vader mijn keuze. Zonder morren bekostigde hij mijn opleiding en ik presteerde het om met hoge cijfers te slagen door weinig tot niets uit te voeren. De lesstof was simplistisch en de opdrachten van zo'n kinderlijke eenvoud dat ik de tijd die ik overhad, en dat was veel, spendeerde aan het vervolmaken van mijn schrijfvaardigheid. Eenmaal mijn diploma op zak – de uitreiking liet mijn vader aan zich voorbijgaan – ging ik op zoek naar een baan.

Ik had gedacht dat alle deuren voor mij open zouden staan, maar dat was een misvatting. De sollicitatiebrieven die ik verzond, werden goed ontvangen en zonder uitzondering mocht ik op gesprek komen. Maar dan liep het spaak. Ik had geen idee wat ik fout deed, maar zodra ze me in levenden lijve meemaakten, volgde een afwijzing. Blijkbaar riep ik iets op waardoor mensen mij liever niet in hun omgeving hadden.

Gebruikmaken van mijn positie was de enige optie. Mijn vader had veel connecties, maar ik weigerde zijn hulp te aanvaarden – ik zag zijn triomfantelijke gezicht al voor me – en wilde voorkomen dat ik hem ergens dankbaar voor moest zijn. Dus schakelde ik mijn vaders broer in die evenveel connecties had. Ik kende hem nauwelijks, want mijn vader en hij hadden weinig tot geen contact. Toen mijn vader dit hoorde, sprong hij zowat uit zijn vel. Ik had hem vernederd door zijn broer iets te vragen wat hij ook voor mij had kunnen regelen. Daar was het mij precies om te doen geweest. Missie geslaagd.

Ik vroeg mijn oom als kruiwagen te fungeren bij *De Courant*, de krant die in het land als beste stond aangeschreven. Tot mijn teleurstelling lukte het hem niet mij daar aan een betrekking te helpen, maar hij liet weten dat er bij een ander landelijk dagblad een functie was vrijgekomen die mij op het lijf was geschreven. En zo kwam ik bij mijn huidige werkgever terecht.

Op mijn eerste werkdag toog ik met groot enthousiasme naar kantoor, waar ik vanaf dag één werd behandeld als een leproos. Na twee weken kwam ik erachter dat er helemaal geen vacature was geweest, maar ze mij hadden aangenomen omdat mijn oom in de raad van commissarissen zat. Het was Jenny Madison van de kantine die mij dit nieuws bracht. Ze vertelde het op een harde fluistertoon terwijl ze mij door beslagen brillenglazen aankeek en twee gekookte aardappels vanuit de dampende warmhoudbak op mijn bord kwakte. Pas toen begreep ik waarom ik de stomste klusjes moest doen en ze mij geen verhaal van enige inhoud lieten schrijven. Mijn chef beweerde dat ik artikelen van niveau niet aan kon, maar volgens mij was het juist daar begonnen, was ik daar mijn schrijftalent kwijtgeraakt omdat ik ver onder mijn niveau moest presteren.

Ik bekeek mijn armen die pijnlijker aanvoelden dan de oppervlakkige krassen deden vermoeden en wreef eroverheen. Natuurlijk wist ik hoe het werkte bij het inzetten van kruiwagens, toch kostte het me moeite de ongewenstheid van mijn aanwezigheid te accepteren. Daarom had ik zo hoog van de toren geblazen toen Quisco ter sprake kwam. Ik wilde laten zien dat ik speciaal was, dat ik iets had wat mijn collega's niet hadden. Ik, Evander Clovis, had daar een ingang. Ik kende iemand die in Quisco woonde.

Stel dat ik inderdaad gebruik zou gaan maken van mijn positie. Naast *Een geschiedenis van Quisco* en de stukjes die over Martha waren verschenen, had nog niemand verslag gedaan van hoe het er hier aan toeging, eenvoudigweg omdat niemand die mogelijkheid had gekregen. Ik wel, ik logeerde er nota bene.

Ik ging rechtop zitten. Waarom schreef ik geen boek over Quisco? Ik zou er een allegorie van kunnen maken. Thierry met zijn enorme omvang was natuurlijk onmatigheid, en Rick Shade zou de personifiëring van ijdelheid kunnen zijn. Langs die weg kon ik een ideale maatschappij – de wens van iedereen – beschrijven die tot mislukken gedoemd is omdat de mens niet over voldoende deugden beschikt haar te realiseren. Het kon een ooggetuigenverslag worden. Dan zou ik degene zijn die het mysterie van Quisco had ontrafeld. Ja. Uitgeverijen zouden in de rij staan. Hoe meer ik erover nadacht, hoe enthousiaster ik werd. Ik zat op een goudmijn. Als het ging zoals ik dacht, zou ik door iedereen worden onthaald als de eerste die het was gelukt tot het hart van Quisco door te dringen. Het mooie was dat ik ook de laatste zou zijn, want na mij was de kans voor anderen verkeken. Ze zouden niemand meer binnenlaten. Wat een buitenkans. De vraag was alleen: zou het me lukken? Zou ik een boek kunnen schrijven terwijl ik een eenvoudig artikel niet eens uit mijn vingers kreeg?

Ik liet me achterover zakken. Ik moest mijn verstand op nul zetten en gewoon beginnen. Ik had immers tijd zat. Mijn chef kon fluiten naar zijn stukje en ik zou net zo lang in Quisco bivakkeren tot ik genoeg informatie had verzameld voor mijn boek. Ik zou niks meer van me laten horen. Het zou mijn chef een worst wezen, die was me toch liever kwijt dan rijk. Natuurlijk, zodra Martha werd gevonden, zou hij zich gaan afvragen waar ik bleef, en als ik vervolgens niet kwam opdagen, zou hij mij ontslaan. Prima. Ik had dat flutbaantje niet meer nodig.

Ik stond op en merkte dat ik me voor het eerst sinds tijden weer energiek voelde. Ik zou deze morsdode gemeenschap op een manier tot leven brengen die ongeëvenaard was. Dat hield wel in dat ik moest achterhalen wat er met Martha was gebeurd, want haar verdwijning zou de rode draad vormen. Het zou een mooie spanningsboog opleveren, een waarvan ik hoopte dat ik de ontknoping zou meemaken. Was ze om het leven gebracht? Of was ze met de noorderzon uit dit beklemmende gehucht vertrokken? Ook als haar verdwijning onopgelost bleef, was het een mooie, mysterieuze invalshoek, maar het allerbeste zou zijn als ze dood werd gevonden. Helaas had ik dat niet in de hand.

Ik moest weten wie Martha Mulder was, wat haar bewoog, of ze vijanden had. En wie kon mij meer over haar vertellen dan haar eigen dochter? Ja, ik zou Josies raad opvolgen en volop gebruik gaan maken van mijn positie.

16

MIJN ARM trilde heviger dan ik ooit had ervaren. Toen voelde ik de pijn. Het begon in mijn schouder, alsof er weerhaken in werden geslagen. Kermend strekte ik mijn vingers en staarde stomverbaasd naar het zand dat uit mijn vingertoppen op de grond stroomde. Waar het een zandhoop vormde die hoger en hoger werd tot het een gedaante aannam. Het was Josie. 'Martha is niet van belang. Het gaat om jou. Martha is nooit van belang geweest.' Ik wilde antwoord geven, zeggen dat Martha wel degelijk van belang was, maar ik kon alleen maar klanken uitstoten. Ik probeerde het nog een keer, maar meer dan een kreun kwam er niet uit. Ik wilde me van haar afkeren, haar niet zien, doof zijn voor wat ze te zeggen had, toen ze mijn schouder vastgreep. 'Evander?' Krachtige vingers boorden zich in mijn vel. Ik trachtte me los te rukken, probeerde haar vingers om te buigen. 'Evander!'

Ik opende mijn ogen. Mijn hart bonkte als een bezetene. Iemand stond over mij heen. In een afweerreflex bracht ik mijn onderarm voor mijn gezicht.

'Ik ben het.' Selma wreef over haar vingers. Ze zag er aangedaan uit.

'Sorry! Heb ik u pijn gedaan?'

'Ze hebben haar gevonden.'

'Martha? Waar?'

'In de berm langs het Kruispad. Ze is dood.'

Ik legde mijn hand op haar arm en gaf er een kneepje in. 'Gecondoleerd.' Ik stapte uit bed en begon me aan te kleden. 'Waar is het Kruispad?'

Selma ging op het bed zitten en keek toe hoe ik de veters van mijn gymschoenen strikte. 'Ga je erheen?'

'Natuurlijk ga ik erheen.'

'Het ligt in Justitia, het is de weg die naar de begraafplaats leidt. Weet je waar het is?'

'Ik vind het wel. Gaat u mee?'

'Ik peins er niet over. Evander, waar ben jij vannacht geweest?'

'Vannacht? Nergens. Ik lag gewoon in bed.'

'O. Ik dacht dat ik je auto hoorde. Dan heb ik me dat verbeeld.'

Terwijl ik de trap af denderde, hoorde ik haar iets roepen. Daar had ik nu geen tijd voor. Ik sprong van de veranda en rende naar mijn auto.

'Evander, wacht, ik wil je nog iets zeggen,' hoorde ik Selma roepen.

'Dat komt zo wel,' riep ik met één been in de auto. Selma's bovenlichaam hing vervaarlijk ver uit mijn slaapkamerraam.

'Het is belangrijk. Luister naar me.' Nu klonk ze paniekerig.

Ik schermde mijn ogen af en keek naar boven. 'Wat is er?'

'Als je afstand houdt, zal je het zien. Let goed op en hou afstand!'

Ik stak mijn hand op en stapte in. Natuurlijk hield ik afstand. Sterker nog, ik zou niet eens in de buurt van Martha mogen komen. Wat een idiote waarschuwing.

De sheriff had zijn auto als een barricade dwars over het Kruispad gezet. In de verte stonden Cordon en Rick Shade met elkaar te praten. De burgemeester schudde zijn hoofd terwijl de sheriff wild gebarend naar de berm wees.

Ik had niet verwacht dat het vol zou staan met sensatiezoekers, maar dat een oudere dame met een hondje en ik de enigen waren, vond ik merkwaardig. Ik knikte haar toe. Ze knikte terug.

'Ik ben Evander Clovis.'

'Dorothea Boon.'

'Aha. U bent de vrouw van die overheerlijke jam.'

Ze glimlachte schuchter. 'En jij bent de achterneef van Selma, degene die dat artikel over ons gaat schrijven.' Ze keek weer voor zich uit. 'Ga je het ook over Martha hebben?'

'Dat weet ik nog niet.'

Ze schudde haar hoofd. 'Arme, arme Martha.'

Dorothea's hondje, een ruwharig mormel met een kaal achterwerk, trok aan de riem en kwispelde in de richting van de politieauto. Zijn snoet zag zwart van de aarde.

'Heeft uw hond Martha gevonden?'

Ze knikte. 'Argus rende opeens weg en even later hoorde ik hem blaffen. Daar lag ze. In de berm. Ik schrok me een hoedje.'

'Daar kan ik me alles bij voorstellen.'

'Weet je wat mijn eerste gedachte was toen ik haar zag? Dat ze sliep. En toen schoot het door mijn hoofd dat ze bewusteloos was. Pas als laatste dacht ik: ze is dood.'

'Het spijt me heel erg.'

'Dat vind ik aardig van je, maar zo goed kende ik Martha niet.' Ze wees naar haar hond. 'Hij wel, hij is ooit door haar geholpen.'

'Was Martha tegelijkertijd dierenarts?'

'Ja. Ik was wat grieperig en Big John was zo vriendelijk om hem uit te laten. Onderweg raakte Argus ergens van in paniek, rende linea recta de struiken in en kreeg pardoes een doorn in zijn oog.'

'Big John?'

'Onze slager. Argus, lieverd, kijk mij eens aan.'

Het hondje draaide zijn kop onze kant op. Het was net of hij naar mij knipoogde. 'Ach. Hij is zijn oog kwijtgeraakt.'

'Helaas, maar in dit land der blinden gaat het hem uitstekend af.'

'Mevrouw Boon, ik vind het vervelend om te vragen, maar hoe lag mevrouw Mulder erbij? Hoe zag ze eruit?'

'Ze lag op haar rug. Haar armen...' Dorothea wreef over haar zongebruinde armen waar littekens in een kraspatroon scherp op afstaken. 'Komt door die krengen daar,' zei ze verontwaardigd en wees naar de struiken als een ooggetuige naar een verdachte in een rechtszaal. 'Die braamstruiken zijn de hel. Argus komt er ook altijd gehavend uit. En haar benen...' Dorothea streek over haar bovenbenen waardoor haar jurk omhoog schoof en ik haar rimpelige knieën kon zien. Ze droeg legerkistjes zonder veters en de boorden van haar geitenwollen sokken slobberden om haar enkels. 'Die zaten onder de schrammen. Helemaal eronder.'

Ik wees naar haar bebloede handen. 'Was ze gewond?'

Dorothea hield haar handen omhoog, keek ernaar en schudde zo hard met haar hoofd dat haar wrong losliet. 'Dat komt van de bramen,' zei ze terwijl ze een paar spelden uit haar haren trok en met geroutineerde bewegingen haar wrong vastmaakte. Daarna gleed ze met haar handen over haar kapsel en zei op een toon die geen tegenspraak duldde: 'Nee. Ze lag er vredig bij. Zo vredig, dat ik dus dacht dat ze sliep.' Ze trok een denkrimpel. 'Het moet iets medisch zijn geweest. Ik denk dat ze een hartaanval heeft gekregen. Zoiets kan jonge mensen ook overkomen, een hartaanval. Ja, dat zal het zijn, ja. Een hartaanval, denk je ook niet?'

Dat dacht ik helemaal niet. Als ze na een hartaanval dood in de berm terecht was gekomen, hadden ze haar veel eerder moeten vinden. Ze hadden heel Quisco toch onderzocht? En ik was geen forensisch expert, maar gezond verstand had ik wel. Iemand die dagenlang in deze temperatuur dood in een greppel ligt, ziet er allesbehalve vredig uit. Het lichaam zou zijn aangetast door de hitte en aangevreten zijn door roofdieren of vogels, of door insecten die er al binnen een paar minuten omheen zouden krioelen. Nee, Martha lag pas sinds kort in de berm. Of ze was daar door haar moordenaar gedumpt, of Martha had zich al die tijd ergens verborgen gehouden, was naar deze plek gelopen en was hier onlangs om het leven gebracht. Zelfmoord was ook een mogelijkheid, zeker als ze er, zoals Dorothea beweerde, zo vredig bij had gelegen.

De sheriff en de burgemeester waren nog steeds met elkaar in gesprek. Twee mannen zonder beschermende kleding stonden op de plaats delict die met een auto was afgesloten. Ik had nu al een hard hoofd in een zorgvuldig verloop van het onderzoek.

'Dus u sluit een misdrijf uit?' Jezus. Ik klonk als een politieman.

'Ik kom eraan,' riep Dorothea naar de wenkende sheriff en richtte zich tot mij. 'Hij heeft me nodig, ik moet gaan. Doe Selma de groeten en zeg dat ik binnenkort wat jam kom brengen.'

Ik keek haar na terwijl ze, met Argus naast zich, op haar leger-kistjes naar de sheriff kloste die mij strak aankeek. Ik stak mijn hand naar hem op. Hij groette niet terug.

Voor mijn boek was dit geweldig nieuws. Wat roet in het eten kon gooien, was als de burgemeester besloot de vondst nu al ken-baar te maken, want dan zou het hier binnenkort wemelen van de journalisten. Ik bedacht dat ik sowieso haast moest maken, want het forensisch onderzoek moest buiten Quisco plaatsvinden om-dat ze niet over die expertise beschikten. Ze zouden opnieuw de hulp van West in moeten roepen, dus vroeg of laat zou dit bekend worden.

Ik keek toe hoe Dorothea uitlegde hoe ze Martha had gevon-den, want ze wees afwisselend naar haar hond en naar de braam-struiken. Zo'n tien minuten later kwam ze terug met de sheriff in haar kielzog.

'Wat is er met Martha gebeurd?' vroeg ik hem.

'Daar kan ik niks over zeggen. De lijkschouwer zal uitkomst moeten bieden. En aangezien dat altijd de taak van Martha was, moeten we iets anders gaan regelen. Dat kost tijd. We wachten in elk geval de uitkomst van het onderzoek af voordat we bekend-maken dat we haar hebben gevonden, anders begint het hele cir-cus opnieuw.'

Perfect. 'Heeft u enig idee hoelang dat gaat duren?'

'Waarom wilt u dat weten?' Hij keek me onderzoekend aan en

zei: 'Als uw collega's bij mij op de stoep staan, weet ik wie dat op zijn geweten heeft.'

'Maar ik...'

'U kunt wel beweren dat u hier voor uw rust bent, maar geen enkele journalist laat een kans als deze liggen. Dus nogmaals: u geeft niks aan de krant door, totdat u van mij een mandaat krijgt. U bent gewaarschuwd.'

Heerlijk. De man dacht dat ik erom zat te springen dit nieuws aan 'de krant' door te geven. 'Natuurlijk. Ik begrijp het en ik zou het onderzoek niet in gevaar willen brengen, sheriff. Zoals het contamineren van de plaats delict of iets dergelijks.'

'U hoeft ons niet te vertellen hoe wij ons werk moeten doen, meneer Clovis.'

'Dus u heeft vaker met dit bijltje gehakt?'

'Ik stel voor dat u naar huis gaat. U stoort met uw aanwezigheid,' zei hij en beende weg.

Dorothea keek me een beetje beduusd aan. 'Nou, dat was duidelijke taal,' zei ik en bood haar een lift aan.

Ze keek in de richting van de sheriff. 'Nee, dat is erg vriendelijk maar wij lopen liever, nietwaar Argus?'

17

DE TAFELRAND verdween in de vouw van Thierry's buik terwijl hij met een doekje de brandschone tafel afnam. Zijn lichaam deinde mee op de geconcentreerd uitgevoerde cirkelbewegingen van zijn arm. 'Je hebt het al gehoord, neem ik aan? Van Martha? Vreselijk nieuws, nietwaar? Ik ben er overstuur van,' sprak hij monter. 'Gelukkig was het zo druk dat ik geen tijd had er lang bij stil te staan. Een kwartier geleden zat het hier nog stampvol. Tja, de mensen moeten toch ergens hun verhaal kwijt. Beter dat ze er in mijn zaak met elkaar over praten dan tegenover een of andere journalist.' Uit zijn gezichtsuitdrukking noch uit de manier waarop hij dit zei kon ik opmaken of zijn opmerking rechtstreeks aan mij was gericht, dus besloot ik het te negeren. Thierry trok de menukaart uit de houder, legde hem voor mij neer en wreef er met het doekje overheen. 'Ik ben er enorm van geschrokken. Dat dit soort dingen in Quisco gebeuren. Wie had dat ooit gedacht?' Hij schudde zijn hoofd. 'Onvoorstelbaar. Het is voor het eerst dat we iets dergelijks meemaken.'

'Is er in Quisco nog nooit een moord gepleegd? In al die jaren niet?'

'Moord? Wie heeft het over moord?'

'Je had het over "dit soort dingen". Ik neem aan dat er hier vaker mensen overlijden, dus ging ik ervan uit dat je op een misdrijf doelde.'

'Ah, zo. Nee, ik bedoel iemand die plotsklaps verdwijnt en later dood wordt aangetroffen. Dat is nieuw voor Quisco.'

'Kan het volgens jou geen moord zijn?'

'Over de doodsoorzaak is nog niets bekend en ik vind het onkies om op de feiten vooruit te lopen. Laten we wachten met ons oordeel tot de sheriff helderheid heeft verschaft.' Het klonk alsof hij het citeerde, wat waarschijnlijk ook zo was. 'Ik weet altijd alles als eerste, en dat zal in dit geval ook zo zijn.'

'Ik vroeg me al af hoe het kwam dat iedereen zo snel wist van mijn opdracht om een artikel over Quisco te schrijven. Kwam die informatie bij jou vandaan?'

'Als er nieuws is, hoor je dat hier en nergens anders.'

'Dus iedereen houdt jou op de hoogte.'

'Dat is niet nodig.' Hij tikte met een nagel op zijn montuur en trok vervolgens aan zijn oorlel. 'Ik zie en hoor alles.' Thierry haalde zijn opschrijfboekje uit zijn borstzak en likte aan het potlood dat hij er vervolgens afwachtend boven liet hangen. 'Zo weet ik bijvoorbeeld dat Dorothea Boon haar gevonden heeft.'

'Ik weet er alles van. Ik heb haar net gesproken.'

'O?' Thierry klonk teleurgesteld. 'Waar dan?'

'Op de plek waar Martha ligt. Ik ben gaan kijken.'

Hij liet zijn opschrijfboekje zakken. 'Kijken? Wie wil zoiets nou zien? Zeg, je gaat er toch niet over schrijven?'

Ik schudde mijn hoofd. 'Mijn opdracht is helder: een positief stuk over Quisco. Het wordt zeker geen artikel waarin de dood van Martha Mulder centraal staat.'

'Dan is het goed,' zei Thierry opgelucht. 'Hoe ging het met Dorothea? Was ze van slag?'

'Volgens mij ging het wel.'

'Het is een taaie madam, Dorothea. Wat zij heeft meegemaakt, daar lusten de honden geen brood van.' Thierry keek om zich heen, draaide een stoel om en nam tegenover mij plaats. Hij liet zijn immense onderarmen over de rugleuning hangen en zei: 'Dat is me een verhaal, joh.' Hij stak een vinger naar mij uit. 'Dit is wel off the record. Afgesproken?'

'Afgesproken.'

'Ik meen het, Evander. Ik wil het nergens teruglezen. Dat zou ontzettend vervelend voor haar zijn.'

'Beloofd.'

Ze was doodmoe. De kinderen in haar klas leken elk jaar onge-hoorzamer te worden, en soms moest ze de neiging onderdruk-ken haar handen voor haar oren te houden omdat ze het gegil niet meer kon verdragen. Misschien werd ze te oud voor dit werk. Nee, onzin, ze was pas zesendertig.

Ze schakelde terug en nam de scherpe bocht die ze al tien jaar op dezelfde manier nam. Wat keek ze uit naar een rustig week-end, naar twee vrije dagen zonder verplichtingen. Ze kwam net van de supermarkt dus alle boodschappen waren gedaan. Het be-loofde mooi weer te worden. Misschien konden ze gaan picknicken. Ja, de kinderen verdienden een uitje nu hun vader al weken zo somber was.

Langzaam reed ze over het gatenrijke asfalt naar huis. Even later parkeerde ze de auto voor haar garage en keek bevreemd naar de voordeur die openstond. Nu deed niemand in dit dorp zijn deur op slot, maar open, dat vond ze eigenaardig. Waarschijnlijk was een van de kinderen vergeten de deur achter zich dicht te trekken.

Zuchtend stapte ze uit, opende de achterklep en pakte haar boodschappen. Toen ze de klep naar beneden duwde, hoorde ze geblaf. Langs de auto keek ze naar het pad dat naar de voordeur leidde en zag de hond op haar af rennen. De bek en de poten van het beest zaten onder het bloed. Haar hartslag versnelde. Er was iets mis. Terwijl ze het pad op rende, riep ze haar man. Geen reactie. In de hal liet ze de boodschappen vallen en stormde de woonkamer in.

Haar benen zakten onder haar vandaan en met een grom klapte ze tegen de muur. Moeizaam hield ze zichzelf staande. Haar zoontjes lagen naast elkaar op hun rug, hun handen gevouwen op hun buik, de benen gestrekt. Haar man lag op zijn zij. Naast zijn hand lag zijn dienstpistool.

Ze liet zich op haar handen en knieën zakken, kroop naar haar jongste zoon en legde haar oor tegen zijn mond. Niks. Ze deed hetzelfde bij haar andere zoon. Ook hij was dood. Ze duwde zich van de grond, liep naar het lichaam van haar man en haalde uit terwijl het bloed van haar afdroop. Ze schopte hem tot ze niet meer kon. Huilend zeeg ze naast hem neer.

Terwijl Thierry mij dit gruwelijke verhaal vertelde, leunde hij zo
ver naar voren dat ik, als zijn huid niet zo glad als van een baby was
geweest, zijn poriën had kunnen tellen. Er zaten roestbruine
spikkeltjes in het blauw van zijn ogen en ik zag dat hij abnormaal
lange wimpers had. 'Vreselijk, vre-se-lijk. Die ervaring heeft haar
getekend. Daar moet je toch niet aan denken? Je man en kinderen
zo vinden? Ze heeft mij ooit verteld dat dat beeld op haar netvlies
staat gegrift. "Alsof iemand het erin heeft geëtst," zei ze.' Thierry
keek bedroefd terwijl hij langzaam met zijn hoofd schudde. 'Je
kunt je het trauma voorstellen. En nu moet ze dit meemaken.'

'Hebben ze de schuldige ooit gevonden?'

'Een tijdlang was haar man hoofdverdachte. Hij diende in het
leger en ze waren alle drie met zijn pistool doodgeschoten.' Ik zag
voor me hoe Dorothea naar de sheriff liep op die legerkistjes die
maten te groot voor haar waren. 'Maar onderzoek wees uit dat haar
man zich onmogelijk van het leven kon hebben beroofd. Hij was
hier geraakt, moet je weten,' zei Thierry, die zijn hoofd liet zakken
en zijn vinger precies op het midden van zijn achterhoofd drukte.
'Je ziet, ik kan er nu bij, maar met een pistool is dat veel moeilijker.
Waarom moeilijk doen als het makkelijk kan?' Als voorbeeld zette
hij zijn wijsvinger tegen zijn slaap en stak hem vervolgens in z'n
mond terwijl hij mij vragend bleef aankijken. 'Toen werd Dorothea gearresteerd. Gelukkig had ze een sluitend alibi. Vanuit
school, waar ze de hele dag les had gegeven, was ze doorgereden
naar haar vaste supermarkt. Het personeel had haar herkend en
goddank had ze het kassabonnetje bewaard waarop stond hoe laat
ze had afgerekend. Toch heeft ze maanden in voorarrest gezeten.
En toen was het te laat voor het bewijs van haar onschuld. Het ge-

ruchtencircuit en de sensatiebelustheid hadden hun werk gedaan. In haar woonplaats kon Dorothea zich niet meer vertonen en de school liet haar weten dat ze op zoek moest gaan naar een andere betrekking. Het volk had gesproken, en het volk verandert nooit van gedachten. Er zat voor Dorothea maar één ding op. Ze kwam naar Quisco.'

'Is de dader gevonden?'

'Nooit. Het spoor liep dood en de zaak werd afgesloten. En uitgerekend zij vindt Martha.' Thierry stond op, draaide de stoel om en schoof hem keurig onder het tafelblad. 'Sommige mensen lijken het aan te trekken, dit soort ellende.' Hij pakte zijn opschrijfboekje. 'Wat zal het zijn?'

'Thierry, volgens mij beschik jij over een grote dosis mensenkennis.'

'Dat klopt wel, ja.'

'Wat was Martha voor type?'

Hij leunde met zijn knuisten op tafel en keek uit het raam. 'Wat was Martha voor type... Dat vind ik moeilijk uit te leggen. Martha was... ja, hoe moet ik dat nou zeggen? Ze was er gewoon. Ja. Ze was eigenlijk altijd hetzelfde. Meer valt er niet over haar te vertellen.'

Martha kwam niet bepaald over als een boeiende persoonlijkheid, eerder als saai en nietszeggend. Dan was het helemaal de vraag waarom uitgerekend haar dit was overkomen. 'Wat is er volgens jou gebeurd? Ik neem aan dat jij daar gedachten over hebt?'

'Weet je, ik heb het er echt liever niet over. Vind je dat goed? Ik voel me er wat opgelaten onder, merk ik.'

'Mag ik je wel vragen hoe haar relatie met Josie was?'

'Martha adoreerde Josie. Ze hield zoveel van dat kind, dat ik het soms te ver vond gaan. Gek hè, dat liefde te ver kan gaan? Dat het verstikkend kan zijn?'

Ik wist daar alles van. 'Hoe uitte zich dat?'

'Zie je, daar ga ik weer met mijn grote mond. Ik had het voor me moeten houden. Wat zal het zijn?'

Ik hief mijn handen op. 'Sorry, het was niet mijn bedoeling je uit te horen,' zei ik en plaatste mijn bestelling.

Toen Thierry mijn sandwich en een glas citroenlimonade op tafel zette zei hij: 'Nog even over Josie. Pas op met wat je haar over jezelf vertelt en trek in twijfel wat zij tegen jou zegt.'

Ah, de Rick Shade-theorie. Hadden deze mensen niet in de gaten dat, doordat ze zo over Josie praatten, ik juist meer over haar wilde weten en brandde van nieuwsgierig naar wat ze over anderen te melden had? Waren ze echt zo naïef? 'Dat klinkt onheilspellend.'

'Het kind heeft een grote fantasie, en daar heeft ze mensen meer dan eens schade mee berokkend. Haar verbeelding gaat regelmatig met haar aan de haal.'

'Ze moet haar fantasie ergens in kwijt, natuurlijk. Ze heeft niemand om mee te spelen.'

Hij keek voor zich uit en zei zachtjes: 'Josie speelt met meer dan genoeg mensen.'

'Op welke manier?'

'Ze verzint verhalen over ons en speelt ons vervolgens tegen elkaar uit. Dat zet kwaad bloed. Je kunt je voorstellen dat onderling vertrouwen essentieel is voor onze kleine gemeenschap. Het is ons vangnet. Gaat het kapot, dan valt de hele boel uit elkaar.'

'Misschien ziet zij Quisco eerder als een gevangenis dan een vangnet.'

'Dat bedoel ik dus. Ik weet precies wie jou dat in het oor heeft gefluisterd.'

Ik lachte. 'Kom op, zeg Het is een kind. Dat onderscheid kunnen jullie toch ook wel maken?'

Zijn gezicht vertrok. 'Neem het maar gewoon van me aan. Wij kennen haar langer dan vandaag. Ik heb je gewaarschuwd. Eet smakelijk.'

○ ○ ○ ○ ○

Ik begreep er weinig van, de manier waarop mensen met elkaar omgingen. Het bestond uit een trits van onbesproken regels, afspraken waar iedereen vanaf leek te weten, behalve ik.

Wie stelde die afspraken vast? Waar haalden ze die informatie vandaan? Van wie leerden ze dat? Waarom wist ik nergens van? En waarom was ik de enige die het niet normaal vond dat iedereen deed alsof?

Het was één groot toneelstuk. Ja, mensen zijn geboren acteurs. Het ergste is dat ze het van zichzelf weten.

○ ○ ○ ○ ○

18

'Josie is erg verdrietig, maar het kost haar moeite dat te tonen, dus hou daar rekening mee,' zei Melissa toen ze de voordeur opendeed. Ik had nog geen kans gekregen om te vragen hoe het met Josie ging, dus deed ik dat alsnog. 'Ja, dat weet ik dus niet, want ze laat niks merken. Ik denk dat een wandeling haar goed zal doen. Josie, kom, we gaan wandelen met die aardige meneer Clovis,' riep ze de hal in waarop ze de voordeur voor mijn neus liet dichtvallen. Die aardige meneer Clovis stond vervolgens tien minuten in de brandende zon voor het de dames beliefde naar buiten te komen.

In haar lichaamsbedekkende witte jurk zag Josie eruit alsof ze op weg was naar haar eerste communie. Vanonder haar zonnehoed keek ze mij als een beledigd mopshondje aan.

'Heb je er wel zin in?' vroeg ik. 'Ik kwam alleen maar langs om te vragen hoe het met je gaat. Misschien wil je liever...'

'Ze heeft er ontzettend veel zin in. Dit is precies wat ze nodig heeft, hè Josie?' antwoordde Melissa en gaf Josie een duwtje tegen haar schouder.

Omdat Josie met een stuurs gezicht voorop liep en met Melissa converseren tegenover Josie als verraad zou aanvoelen liepen we, als wandelaars op een smal bergpad, achter elkaar aan tot we de oever van de beek bereikten.

Josie nestelde zich op een boomtak die laag over het water hing. Ze hield haar enkels over elkaar geslagen. Haar handen lagen ineengestrengeld op haar buik. Ze was het toonbeeld van ontspanning, en leek in de verste verte niet op een kind dat net had gehoord dat haar moeder overleden was. Ik vond het zorgwekkend. Nou ben ik de laatste die mensen voorschrijft hoe ze moeten rouwen en Josie gunde ik diezelfde vrijheid, maar geen enkele emotie tonen is ongezond. Het was belangrijk dat ze met iemand over haar gevoelens sprak, het kon er maar beter uit zijn. Ik besloot het eerst over een andere boeg te gooien.

'Josie, dat archief waar jij het over had was toch in de bibliotheek? Ik kon het niet vinden.'

'Ik zei toch dat je dingen soms op een andere manier moet bekijken? Als ik jou was, zou ik er nog een keer naartoe gaan. Het is er echt.'

Ik kreeg onderhand genoeg van haar raadselachtige manier van doen, maar liet het voor wat het was en opende mijn mond om over haar moeder te beginnen toen ze mij vroeg of ik er een had.

Ik pakte een paar kiezels en gooide ze een voor een het water in. 'Iedereen heeft een moeder.'

'Leeft ze nog?'

'Nee.'

'Konden jullie goed met elkaar overweg?'

'Mwah, gewoon.' Ik had er nooit over nagedacht of ik met mijn moeder kon opschieten. Ze was mijn moeder geweest, geen vriend. Ik gooide mijn laatste kiezel, die aan de overkant van de beek belandde.

'Was ze aardig?'

Ook daar moest ik over nadenken. 'Voor anderen wel. Ja, ik denk dat ze door veel mensen aardig werd gevonden.'

'En jij?'

'Of ik haar aardig vond?' Ik begon te lachen. 'Onze relatie was, om het zachtjes uit te drukken, moeizaam.'

'Hoe kwam dat?'

Ik drukte me verkeerd uit. Onze relatie was van mijn kant bezien moeizaam. Ik ervoer haar aanwezigheid als verstikkend. Ze volgde elke handeling die ik maakte, wilde mijn gedachten weten. 'Waar denk je aan? Waar denk je aan?' Ze vertelde mij dagelijks dat ze van mij hield, dat ze zich een leven zonder mij niet kon voorstellen. Dat hield dus in dat ik er voor haar moest zijn, niet andersom zoals het hoort. Die verantwoordelijkheid moet je een kind niet aandoen. Daar komen problemen van. En opeens, letterlijk van de ene dag op de andere, veranderde haar houding. Ze raakte me niet meer aan en ontweek mijn blikken. Met hetzelfde fanatisme waarmee ze mij aandacht had gegeven, nam ze afstand. Ze bleef me wel volgen, met die ogen, ging me zelfs nog meer in de gaten houden, maar met een andere intentie. Het ging zelfs zo ver dat ze me mijn bewegingsvrijheid ontnam. 'Ik vind het moeilijk uit te leggen. Omdat ze altijd overal bovenop zat. In haar aanwezigheid voelde ik me een misbaksel. Dan keek ze me aan met zo'n blik van: jij weet niks, jij kunt niks.' Ik haalde mijn schouders op. 'Het zal wel met iets uit haar jeugd te maken hebben ge-had. En jij? Hield jouw moeder van je?'

De manier waarop Josie mij aankeek zal ik nooit vergeten. Die ogen. Er sprak zoveel wanhoop uit, zoveel eenzaamheid, zoveel verdriet. Ik wilde opstaan, haar van die tak tillen, haar wiegend in mijn armen houden. En toen, poef, verdween die blik uit haar ogen.

'Hoe zit het met je vader?' vroeg ze.

'Ik denk niet dat mijn vader mij aardig vindt.' Dat was een understatement. Hoe hij over mij dacht wist ik maar al te goed. Mijn vader had een pesthekel aan mij. Ik was een blok aan zijn been. Hij behandelde mij als een infiltrant. Ik kan me herinneren dat ik hem een keer trots mijn rapport overhandigde – ik was toen tien jaar oud – en hij het zonder er een blik op te werpen opzijlegde.

Dus ging ik zo snel mogelijk het huis uit. Op mijn zestiende ging ik op kamers. Die eerste dag op mijn studentenkamer waar ik kon doen wat ik wilde en waar niemand iets van mij vond, dat gevoel van vrijheid heb ik nooit meer ervaren. Hier zitten met dit vreemde schepsel naast mij kwam enigszins in de buurt. Ik vroeg me af of dat kwam door mijn relatieve anonimiteit. In Quisco had ik geen geschiedenis. Mensen die uit onvrede over hun situatie met de noorderzon vertrekken, kunnen op weinig begrip van mijn kant rekenen. Je neemt jezelf altijd mee. Maar waar het zo goed als onmogelijk is jezelf te veranderen, kun je jezelf in een nieuwe omgeving omvormen tot een acceptabelere variant. Het drong nu tot me door dat ik mezelf in Quisco acceptabeler vond. Ik was rustiger, geïnteresseerder in anderen en ik luisterde beter. Ik voelde me ook beter.

Ik prees de vindingrijkheid van de mens en richtte mijn aandacht weer op Josie. Ze had haar vlechten uitgehaald. Haar haren lagen als een verstilde branding op haar bovenlichaam en deinden mee op het ritme van haar ademhaling.

'Ik heb ze gezien, Evander. Vanuit het zolderraam. Ik zag hoe ze haar zochten, hoe ze door de velden liepen. Het was een bloedhete dag, misschien wel vijftig graden. Ze liepen op ongeveer een meter afstand van elkaar. Heel af en toe stopten ze en groepeerden zich rond degene die iets had geroepen. Telkens was het loos alarm. Na de velden werden alle tuinen uitgekamd, ook die van ons. Toen het donker werd, hielden ze ermee op. Ik wist dat ze zich de moeite hadden kunnen besparen, maar naar mij luistert toch geen hond.'

'Wat is er dan volgens jou met je moeder gebeurd?'

Ze keek me aan, met die haast doorschijnende ogen die alles leken te zien, die mij binnenstebuiten leken te keren. De manier waarop ze met haar vingers door haar haren gleed, werkte hypnotiserend. Van bovenaf naar beneden en weer terug. Heen en weer, heen en weer... 'Het kan iedereen geweest zijn.'

'Wat zeg je nu?'

'Dat het iedereen geweest kan zijn.'

'Denk je dat ze om het leven is gebracht?'

'Ja.'

'Bedoel je dat iedereen in Quisco een motief had?'

'Ja.'

'Waar haal je dat vandaan?'

'Misschien moet je dat eens uit gaan zoeken.' Ze begon haar haren met geroutineerde vingerbewegingen te vlechten.

'Het valt me wel op dat iedereen vrij emotieloos reageert op de

dood van je moeder. Ik vind het vreemd. Ze is uiteindelijk jarenlang huisarts in Quisco geweest en, naar ik aanneem, heeft ze veel
mensen geholpen.'

'Reageer ik soms anders?'

'Nee, maar...'

'Ze weten dat wij geen liefdevolle relatie hadden.' Ze gooide
haar benen over de tak, kwam in kleermakerszit naast me zitten
en legde haar handen in haar schoot. Ik zag dat ze, net als ik, een
nagelbijter was.

'Mis je haar?'

'Vind je het ongepast, een kind dat geen gemis voelt als haar
moeder dood is? Wil je liever iets anders horen? Dat ik, ondanks
haar fouten, veel van haar hield?'

'Ik probeer het gewoon te begrijpen.'

'Diep in je hart begrijp je me heel goed. Je houdt nu vast aan een
conventie. Dat hoef je bij mij niet te doen. Ik zal je iets uitleggen,
over mij en mijn moeder, misschien maakt dat iets duidelijk.' Ze
frummelde aan haar jurk. 'Een jaar of vier geleden liep ik met mijn
moeder op straat toen ik ineens verkrampte. Alles viel op z'n plek.
Het was een openbaring. Mijn moeder riep mijn naam en ik voelde een rukje aan mijn mouw, maar ik was verstard, kon alleen naar
de grond staren. Ze bleef mijn naam herhalen en ik zakte door
mijn knieën en deed alsof ik het bandje van mijn schoen vastmaakte. Ik had tijd nodig, wilde nadenken. Ik moest doorlopen,
niet zo raar doen, Josie. Ze hurkte voor mij neer. Ik zag dat ze blonde haartjes op haar knieën had en een kleine moedervlek in het
kuiltje tussen haar sleutelbeenderen die mij nog niet eerder was
opgevallen. Haar gezicht hing vlak bij het mijne. Haar halfopen

mond, haar adem op mijn huid. Haar gezichtsuitdrukking was een mengeling van bezorgdheid en ergernis. Ik schudde haar hand van me af. Ik had haar nutteloze bestaan altijd ontroerend gevonden, maar dat gevoel was verdwenen. Nu zag ik mijn moeder in haar hele wezen. Hoe ze was, wat ze dacht, hoe ze zich voelde, haar twijfels, haar verlangens. Alles. Dat was altijd al zo, maar het duurde even voor ik het kon plaatsen, voordat ik begreep waarom ik mensen niet aan kan kijken en zij mij niet, en waarom ze mij ontwijken. Wacht, ik laat het je zien.'

Ze verschoof tot ze tegenover mij zat, pakte mijn handen en keek me diep in de ogen. Glimlachend keek ik terug, maar toen ik mijn gezicht van de hare wilde afwenden, lukte het niet. Ik werd vastgezogen. Ik kneep mijn ogen dicht. Het hielp niet, het was alsof mijn oogleden doorzichtig waren. Ze bleef me aankijken. Ik kreeg het steeds benauwder, tot ik het gevoel had dat ik geen adem meer kon halen. Ik sperde mijn mond open. De snik die diep uit mijn binnenste kwam, verkrampte mijn lichaam.

In haar ogen zag ik een man die zijn leven acteerde. Iemand die geen idee had hoe hij liefde moest geven, die klemvast zat in het zelfinzicht dat door hem als waarheid werd gezien, maar waarvan hij donders goed wist dat er niets van klopte. Een man die, als zijn leven anders liep dan hij voor ogen had, zijn omgeving de schuld gaf van zijn onfortuinlijkheid en zichzelf buiten beschouwing liet. Iemand die snakte naar erkenning omdat hij zichzelf niet erkende. Deze man was een toeschouwer van zijn eigen leven. Ik was mijn eigen publiek. Ik zag mezelf in haar gezicht. Met een kreun kneep ik mijn ogen dicht en opende ze weer. Met een alwetende glimlach keek Josie mij aan.

19

I N DE deuropening luisterden Melissa en ik naar Josies vervagende voetstappen. Toen ze nauwelijks meer hoorbaar waren, drukte Melissa mij op het hart vaker langs te komen. Ze vond dat mijn aanwezigheid Josie goeddeed.

De vraag was of het mij goed zou doen. Josie dwong me naar mezelf te kijken en zelfinzicht is mooi, maar ik ben liever zelf degene die bepaalt wanneer dat de kop opsteekt. Ik gunde iedereen zijn overlevingsmechanisme, en mezelf dus ook. Toch zegde ik toe. Het was feitelijk heel eenvoudig. Ik moest ervoor zorgen dat mijn binnenste voor Josie onaanraakbaar bleef. Mij om mijn innerlijk bekommeren had nooit op mijn to-do-lijst gestaan en nu ik had besloten een boek over Quisco te schrijven, had het helemaal geen prioriteit. Zeker niet nu het voelde alsof iets in mij opengebroken was, dat het me zou lukken woorden die ik in mijn hoofd had op papier te krijgen.

Terwijl ik de autosleutel uit mijn broekzak viste, zag ik op mijn stoelzitting een envelop liggen met mijn naam erop. Ik scheurde hem open en trok het pak papier eruit. Het was een politiedossier. Op het omslag zat een sticker. Het betrof ene Dora Velmer. Wat moest ik hiermee? Ik ging zitten en bladerde erdoorheen Er viel een foto in mijn schoot.

Een jonge vrouw hield op borsthoogte een genummerd bord omhoog. Ze kwam mij bekend voor, maar haar naam deed geen bellen rinkelen. Dora had een klein langwerpig gezicht en droeg haar sluike haren in een middenscheiding. Haar uitgelopen mascara accentueerde de wallen onder haar ogen, waar een uitdrukking in lag die ik alleen kon omschrijven als een combinatie van verdriet en ongeloof. Het was alsof het in die milliseconde van de klik van het fototoestel tot haar was doorgedrongen in welke situatie ze was beland. In de linkerbovenhoek van de foto stonden, op drie elkaar overlappende plekken, de roestige afdrukken van een paperclip.

Op het plein nam ik de tweede afslag en reed naar het park waar ik gisteren langs was gereden. Een opgeleukt plantsoen was eigenlijk een toepasselijker omschrijving. Het was zo klein dat de vier paden die elkaar in het midden doorkruisten, overbodig waren. De met gras begroeide taartpunten waren keurig onderhouden en op elke groenstrook stond een boom met in zijn schaduw een picknicktafel die zo te zien nooit werd gebruikt.

Ik koos een plek met zicht op de weg en trok het dossier weer uit de envelop. Bij de tweede alinea van de verklaring van de verdachte wist ik met wie ik te maken had. Ze had haar naam veranderd.

Toen Thierry mij had verteld dat Dorothea in haar woonplaats

geen leven meer had, zag ik het voor me: een meute domme dorps-
bewoners die voor haar deur stonden te schreeuwen, hun vuisten
gebald, het soort mensen dat elkaar ophitst en een verdachte bij
voorbaat schuldig acht. Maar tijdens het lezen begon ik te twijfelen aan haar onschuld. Misschien had die hysterische groep mensen het bij het rechte eind. In Thierry's versie had Dorothea een
waterdicht alibi, maar dit rapport verhaalde het tegendeel.

Een van de rechercheurs belast met het onderzoek, was in haar
woning op zoek gegaan naar de boodschappen op de kassabon die
Dorothea als bewijsmateriaal had ingeleverd. Ze beweerde namelijk dat zij die boodschappen op het exacte tijdstip van de moord
op haar gezinsleden had aangeschaft. In de boodschappentas die
Dorothea in de hal van haar huis op de grond had laten vallen, zaten inderdaad de producten die op de kassabon stonden. Alleen
begreep de rechercheur niet waarom Dorothea kattenvoer had
aangeschaft terwijl ze geen kat had. En wat moest ze met een kilo
tomaten als de tomatenplanten in haar moestuin achter het huis
ermee vol hingen?

Hij had de theorie ontwikkeld dat Dorothea vanuit haar werk
naar de supermarkt was gegaan. Om zichzelf een alibi te verschaffen had ze uit een boodschappenkar die door iemand anders was
gebruikt, een kassabon gevist. De tijd op de bon, was een uur eerder dan het moment waarop de buren de knallen hadden gehoord. Zij hadden daar niet van opgekeken omdat in de bossen
achter de woonwijk regelmatig op konijnen werd gejaagd.

Volgens de rechercheur was Dorothea vanuit haar werk naar
huis gegaan, waar ze haar gezin met het pistool van haar echtgenoot had omgebracht. Vervolgens was ze naar de supermarkt gere-

den en had de boodschappen gehaald die op de kassabon stonden. Daarna was ze weer huiswaarts gekeerd en had het noodnummer gebeld.

Er was nog iets wat in Dorothea's richting wees. Haar man had in het leger gediend en was daar slecht uitgekomen. De mentale kracht die de man nog restte, stak hij in een slopend proces tegen zijn werkgever die had nagelaten hem van geestelijke bijstand te voorzien en hem in zijn sop liet gaarkoken. Na een jarenlange rechtsstrijd werd Dorothea's man in het gelijk gesteld en moest zijn werkgever hem een schadevergoeding uitkeren. Deze was hem kort voor zijn overlijden toegekend. Er was een groot bedrag mee gemoeid, en aangezien Dorothea erfgename was, zag de rechercheur dat als een motief voor Dorothea om haar echtgenoot uit de weg te ruimen.

Natuurlijk was geld een drijfveer om iemand van het leven te beroven, maar waarom zou Dorothea ook haar kinderen hebben gedood? Die logica ontging ook de rechter, want ze werd vrijgesproken en gezuiverd van elke blaam. Toch oordeelde het volksgericht anders, en werd ze uit haar woonplaats verdreven.

Ik sloeg het dossier dicht en staarde naar de sticker op het omslag. Wilde degene die mij dit had gegeven dat ik er iets over ging schrijven zodat haar zaak heropend werd? Of wilde die persoon mijn aandacht op Dorothea's verleden vestigen waardoor ik zou denken dat zij betrokken was bij de moord op Martha? Want iemand die eenmaal gemoord heeft en ermee wegkomt, deinst er niet voor terug het nog een keer te doen.

○ ○ ○ ○ ○

Ik had vaak het gevoel dat ik niet 'af' was, dat ik maar voor de helft bestond. Dat de stratenmaker halverwege was gestopt met het leggen van mijn klinkers omdat het tot hem doordrong dat ik nergens naartoe zou leiden. Ik was onvoltooid.

Volgens mij was dat de reden waarom het leven voor mij een onbegrijpelijke aaneenschakeling van gebeurtenissen was. Ik vatte het gewoon niet. De dood was een ander verhaal. Daar kon ik wel mee overweg. Die is prachtig in al zijn eenvoud.

○ ○ ○ ○ ○

20

Ik legde de envelop op mijn reservewiel en trok de bodemplaat van mijn achterbak eroverheen. Op het moment dat ik de achterklep dichtduwde, zag ik een vrouw op me af komen. Ze had een brede glimlach op haar gezicht en stak haar arm in een groet omhoog. Haar tred was ritmisch en ze hield haar jurk, die tot aan de grond reikte, met een hand omhoog. Haar haren glansden als gepoetst koper.

'Hallo,' riep ik. 'Aan de wandel?' Aan de wandel. Goeie openingszin, Evander. Ik veegde mijn handen over mijn broek en liet mijn hoofd onopvallend naar mijn oksel zakken.

'Hallo. Jij moet Evander zijn.' Ze articuleerde als iemand die doof is. De zon scheen recht in mijn gezicht en terwijl ik mijn hand naar haar uitstak hield ik de andere boven mijn ogen. In een reflex trok ik mijn uitgestoken hand terug. Ik corrigeerde mezelf vrijwel direct, maar ze had het opgemerkt.

'Het spijt me,' fluisterde ze.

'Nee, nee, alsjeblieft,' zei ik terwijl ik met mijn handen wapperde. 'Ik ben degene die zich moet verontschuldigen. Die zon... en ik, nou, ik hield mijn hand boven mijn ogen en door die plotselinge schaduw, ik...'

'Laat maar zitten,' sprak ze moeizaam. 'Ik ben Hilde trouwens.'

Ik schaamde me dood. Ze moest dit vaker hebben meegemaakt. Eerst die waarderende blik en zodra ze dichterbij kwam vulde het gezicht van haar bewonderaar zich met afschuw. Het was niet dat ik walgde van de aanblik van littekens – perfectie verveelt me – maar haar gezicht was grotesk. De bovenste helft, tot onder haar neus, was puntgaaf. Haar ogen hadden de kleur van amber en haar neus was klein en recht. Maar haar mond... Vanaf haar mondhoeken leidden twee diepe donkere littekens naar haar kaaklijn. Ze leken uitgelijnd met de uiteindes van haar wenkbrauwen. 'Sorry.'

Ze haalde haar schouders op. 'Ach, ik heb ermee leren leven.'

Ik wees naar de picknicktafel. 'Zullen we daar even...'

Haar linkermondhoek trok iets omhoog en haar ogen glimlachten. Het zou me niets verbazen als ze vanwege haar verminking in Quisco was komen wonen. Gezien mijn reactie had ze groot gelijk.

We gingen zitten, ze rommelde wat in haar tas, pakte er een tissue uit en veegde ermee langs haar mondhoeken. 'Je hebt zeker al gehoord dat Martha is gevonden?' Ze snoot haar neus. 'Erg, hè?'

Eindelijk iemand die verdriet om het verlies van Martha toonde. 'Ja, ik heb het gehoord. Gecondoleerd nog.'

Ze snoof, veegde met de tissue onder haar ogen en zei: 'Sorry, ik heb wat last van hooikoorts. Weet je wat zo raar is? Zodra ik hoorde dat ze verdwenen was, wist ik dat er iets ergs was gebeurd. Ik voelde het gewoon aan, terwijl iedereen maar bleef beweren dat ze gevonden zou worden. Dat is toch vreemd?'

Sommige mensen vinden het prettig hun logisch te verklaren waarneming toe te schrijven aan hun zesde zintuig. Hilde was daar schijnbaar een van. 'Josie denkt er precies zo over.'

Ze trok haar wenkbrauwen op. 'Je hebt haar gesproken?'

'Is dat uitzonderlijk?'

'Nou, Josie is nogal mensenschuw.'

'Ik vind het wel meevallen.'

'Misschien komt het door jou,' zei ze. 'Hoe gaat ze ermee om?'

'Tja. Nogal onderkoeld als je het mij vraagt.'

'Het deel van haar hersencentrum dat haar emoties aanstuurt is wat onderontwikkeld. Empathie is haar vreemd.'

Ik begon onderhand te denken dat dat voor de hele goegemeente gold. 'Het is een kind.'

'Ik weet dat het een taboe is slecht over kinderen te spreken, maar Josie is nou eenmaal iemand over wie je moeilijk kunt zeggen dat ze lief is.'

'Ik vind haar intrigerend.'

'Dat is ze zeker. Jeetje, ik voel me een beetje een roddelaarster. Het was niet mijn bedoeling vervelende dingen over haar te zeggen, zeker niet nu ze net haar moeder is kwijtgeraakt.'

Nee, en toch deed ze het. Ik vond het onaardig. Nu wist ik dat vrouwen vertrouwen niet mijn sterkste punt was. Met Selma (op leeftijd) en Josie (een kind) ging het nog wel, maar voor de rest... Haar warme ogen glimlachten. Ik glimlachte terug en vroeg hoe ze hier verzeild was geraakt.

'Jij wilt zeker weten wat er is gebeurd?'

Ik hief mijn handen op. 'Als je het liever voor je houdt, even goede vrienden.'

'Nee, sorry, ik stel me aan.' Ze wees naar haar gezicht. 'Met dank aan mijn beste vriendin. We kenden elkaar al jaren, zaten op de kleuterschool bij elkaar in de klas. Het gebeurde een paar jaar geleden. Ze was net verhuisd en vroeg me of ik haar wilde helpen. Terwijl we de dozen stonden uit te pakken, kwam het gesprek op ons gezamenlijke verleden. Opeens veranderde haar toon en begon ze een heel verhaal over hoe ik haar altijd als een sloof behandelde, dat ik, zodra een man haar leuk vond, ik die man ging versieren, dat ze zich een aanhangsel voelde, allemaal dat soort dingen. Ik zei dat ik niet wist waar ze het over had. Toen werd ze razend en haalde naar me uit met het stanleymes waarmee ze de verhuisdozen stond open te snijden.' Hilde wees naar haar mond. 'Voilà, het schone resultaat.' Haar ogen werden vochtig. 'Met de verminking kon ik nog leven, maar ik raakte het geloof in mezelf kwijt. Van een vrouw die de hele wereld aankon, veranderde ik in een angstige, onzekere muis die overal gevaar in zag. Ik herkende mezelf niet meer. Weet je hoe dat voelt, om jezelf niet meer te herkennen?'

Ja, dat wist ik. 'Ik kan me er iets bij voorstellen. Hoe is het met die vriendin afgelopen?'

'Ik heb geen aangifte gedaan want ze had gelijk. Alles wat ze zei klopte. Ik had me inderdaad van jongs af aan tegenover haar misdragen.'

'Ze was jaloers op jou en dat vind jij begrijpelijk?'

'Ik had daar rekening mee moeten houden. Ik had alles wat mijn hartje begeerde. Was dat genoeg? Nee, ik moest en zou daarnaast ook alles hebben wat zij had. Het was mijn verdiende loon. Ik had een leven verpest. Haar leven.'

'Je hebt het haar vergeven?'

'Ja. Maar dat nam niet weg dat ik het er moeilijk mee had. Op het moment dat ik het leven op deze manier zinloos vond, kreeg ik een brief van Rick Shade. Hij had over mij gehoord en zei dat ik welkom was in Quisco. Ik heb meteen mijn spullen gepakt en ben hier gaan wonen. In Quisco hebben ze mij geaccepteerd zoals ik ben. Ik ga nooit meer weg.'

'Volgens mij gaat niemand ooit weg.'

'Daarom wist ik dat Martha iets was overkomen.' Ah, gevoel had plaatsgemaakt voor logica. 'We hebben de hele omgeving uitgekamd. We hebben de wijken onderling verdeeld en grondig doorzocht.'

'Die grondigheid viel nogal mee. Per slot van rekening lag ze langs de kant van de weg, open en bloot in een berm.'

'Ja. Daar heb ik ook over na zitten denken. Dat specifieke deel was aan Dorothea toebedeeld. Zij kent het gebied als haar broekzak omdat ze er altijd bramen plukt. Toen lag Martha daar niet, daar is Dorothea heel zeker van.'

'Heeft zij dat deel in haar eentje doorzocht?'

'Voor zover ik weet wel. Martha zag er ook niet uit alsof ze dagenlang buiten had gelegen. Big John zei...'

'Heeft de slager haar gezien?'

'O, ja, dat weet je natuurlijk niet. Zie je, hij is de enige met een vrieskast die groot genoeg is om... nou... je begrijpt het wel.'

Nam ze me in de maling? 'Ga je mij nu vertellen dat Martha bij de slager in de vriezer ligt?'

'Ze wordt daar zo snel mogelijk weggehaald, hoor.' Ze fronste. 'Ik hoop dat ze gauw terugkomt zodat we haar kunnen begraven. Ze hoort bij ons. Dit is haar thuis.'

Een thuis waar je na je dood in de vrieskist van de slager wordt gedumpt. Hadden ze hier geen gevoel voor decorum? Ik besloot me in te houden en zei: 'Het blijft vreemd dat Dorothea Martha niet eerder heeft aangetroffen.'

Hilde keek over mijn schouder en fixeerde haar ogen ergens op. 'Ja, nou, ik moet ervandoor. Zullen we anders een keer koffie-drinken? Selma weet waar ik woon.'

Ze liep met snelle passen bij mij vandaan. Ik draaide me om en zag iets wits tussen de bomen door glippen. Toen was het weg.

21

SELMA STOND op een keukentrapje de rozen uit haar struiken te knippen. De mand naast haar op de grond zat al vol
en er lag een hele berg bloemen naast. 'Het is haast niet meer bij
te houden, Evander, hoe snel ze de laatste dagen groeien. Het
loopt echt de spuigaten uit.' Ik hielp haar van het trapje en terwijl we naar het huis liepen, vertelde ik wat ik op het Kruispad
had meegemaakt en dat ik Josie had gesproken.

'Arm kind. Gelukkig vangt Melissa haar goed op.'

Ik had daar mijn twijfels bij, maar liet het voor wat het was en
zei dat ik aan het werk moest.

'Heel goed, jongen.'

Het ging niet. Door de keus die ik had gemaakt om vanuit mijn
perspectief te schrijven, moest ik niet alleen opschrijven wat ik
zag, hoorde en meemaakte, maar ook wat ik erbij voelde. Toen ik
het teruglas, bleek het een gortdroge, gevoelloze opsomming van
impressies. Mijn stukken voor de schoolkrant waren van een hoger niveau geweest.

Moedeloos staarde ik naar buiten, naar het glinsterende zwembad achter in de tuin, het water helder en strak als een glasplaat. Op de bodem had zich meer zand opgehoopt. Zuchtend keek ik naar mijn arm die licht begon te trillen, maar gelukkig hield het na een paar seconden alweer op.

Wat zou er gebeuren als ik een andere invalshoek koos? Als ik het niet vanuit mezelf schreef, maar vanuit Josie? Ik pakte mijn pen en tikte ermee tegen mijn tanden. Een boek over Quisco en haar inwoners, gezien door de ogen van het enige kind dat er woonde, een onschuldig kind dat alles zag en bovendien net haar moeder had verloren. Waarom niet? Ik scheurde de beschreven vellen uit mijn notitieblok, gooide de proppen op de grond en boog me over het maagdelijke witte vel.

Op het moment dat de pen het papier raakte, was het of mijn geest zich opende. Ik kon het omzetten van mijn gedachten in woorden nauwelijks bijhouden. Na een uur of twee haalde ik met een euforisch gevoel mijn pen van het papier en leunde uitgeput achterover. Vervolgens nam ik de pagina's door en ik moest bekennen: het las als een trein. Josie kwam echt tot leven en de ik-vorm maakte het krachtig en indringend. Natuurlijk was het niet netjes dat ik Josie geen toestemming vroeg om als mijn spreekbuis te fungeren waarbij ik haar ook nog eens woorden in de mond legde, maar ik ging geen slapende honden wakker maken. Bovendien, ze had zelf geopperd dat ik gebruik moest maken van mijn positie.

Hoe was dit mogelijk? Vertrouwde ik niet meer op mijn eigen waarneming en moest ik leunen op die van anderen, in dit geval die van Josie? Ik bladerde terug en las het nog een keer. Dat had ik beter kunnen laten, want het temperde mijn enthousiasme. Deze keer gaven Josies woorden mij een onprettig gevoel. Het had te maken met wat erin besloten lag. Het van bovenaf toekijken hoe anderen samenleefden en daarover oordelen omdat je er zelf geen deel van uitmaakte. Wat me ook minder goed beviel, was dat Josie onaardig en hooghartig overkwam. Haar stem hoorde erin door te klinken, maar ik moest haar zachter maken. Warmer. Kwetsbaarder. Menselijker.

Ik besloot na mijn eerste versie Josies scherpe randjes eraf te vijlen en legde mijn notitieblok opzij. Vanuit haar perspectief schrijven ging me lukken. Problematischer was de andere verhaallijn: de dood van Martha onderzoeken en mijn zoektocht erin verwerken. Het zou geweldig zijn als ik uiteindelijk degene was die de dader aanwees. Aan de andere kant zou alleen al mijn inzet om dit mysterie op te lossen mijn boek een extra dimensie geven.

De geur van doorgekookte groenten walmde vanuit de keuken mijn raam binnen. Ik trok mijn neus op en keek weer naar buiten. Selma had gelijk. De rozen in de rozenstruiken leken inderdaad voller vergeleken met de eerste keer dat ik ze had gezien. Hun geur was haast bedwelmend en heel vaag op de achtergrond rook ik de zee. In mijn onderbewustzijn flakkerde iets op wat even snel verdween als het opkwam.

Ik keek om me heen en pakte mijn blocnote op, hurkte voor de mat die naast mijn bed lag en schoof hem opzij. De vloerplanken eronder waren lichter van kleur. Met mijn vlakke hand drukte ik op de planken tot ik er een trof die iets meegaf. Ik haalde mijn sleutelbos uit mijn broekzak en knipte het Zwitserse zakmesje dat eraan hing, open. Met de punt wipte ik de spijkertjes eruit, trok de plank omhoog en legde de eerste aanzet van mijn manuscript in de ruimte onder de vloer.

'Evander, kom je eten?' Snel schoof ik de plank terug, legde de mat op z'n plek en liep naar de wastafel waar ik de spijkertjes in mijn toilettas liet vallen. 'Evander?' Ik hoorde haar voetstappen op de trap en plaatste mijn kam in mijn haar. De deur zwiepte open en Selma stak haar hoofd om de hoek.

'Ik kom eraan, ik moest me even fatsoeneren.'

'IJdeltuit,' zei ze en liep weg.

22

MIJN MAAG begon op te spelen. Het eten was me slecht bekomen, maar ik had het dan ook naar binnen zitten schrokken omdat ik nog naar de bibliotheek wilde, alwaar ik mijn best deed om met een andere blik te kijken. Blijkbaar nog steeds een verkeerde, want het archief bleef onvindbaar. Ik was zelfs met mijn handen langs de muren gegleden om te kijken of er ergens een verborgen deur zat. Gedesillusioneerd liep ik naar de uitgang en zag dat twee mannen mij vanuit de deuropening gadesloegen.

Op het eerste gezicht leek het een eeneiige tweeling, alleen was de man die schuin achter de voorste stond een kop groter. Het eerste wat opviel waren hun enorme grijze wenkbrauwen waarvan de haren recht omhoog stonden en zo'n drie centimeter over hun hoge voorhoofden reikten. Ze droegen allebei een nethemd en een lichtgrijze pantalon met een scherpe vouw. Bij de grootste van de twee was de broek te kort en werd hij bijeengehouden door een rafelig stuk touw waar een keurige strik in was

gelegd. De kleine droeg bretels en had zijn broekspijpen omge-
slagen.

'Goedenavond,' zei ik.

'Goedenavond,' zeiden ze in koor terwijl ze mij onbeweeglijk
aankeken en hun tanige armen over elkaar geslagen hielden. Hun
schouders en bovenarmen waren bedekt met een grijze vacht. Er
staken zelfs plukken haar uit hun oren, als beijzelde grassprietjes.

Ik wees naar mezelf, bedacht dat ik me gedroeg alsof ik met twee
idioten te maken had, en liet mijn vinger weer zakken. 'Ik ben
Evander Clovis,' zei ik en voegde eraan toe dat ik bij Selma logeerde
omdat ik inmiddels doorhad dat het noemen van haar naam de inwoners toeschietelijker maakten. Nu sorteerde het geen effect. Ze
bleven me aanstaren met nietszeggende vissenogen, alsof we een
wedstrijd deden wie als eerste weg zou kijken. Ik liep naar ze toe en
stak mijn hand uit. Terwijl de voorste de zijne in de mijne legde en
er hard in kneep, bleef hij mij onverstoorbaar aankijken. De arm
van de achterste kwam over de schouder van de voorste tevoorschijn en weer werden mijn handbotjes pijnlijk samengeperst.

Ze noemden hun namen niet en ik vond het onbeleefd om te
vragen wie ze waren. Omdat ik geen idee had wat ik moest zeggen, liep ik het museum maar weer in. Achter me hoorde ik wat
geschuifel en even later stonden ze naast me, de kleine links, de
grote rechts. Samen keken we naar het epistel van Jeremiah onder
het glas waarin onze gezichten werden weerkaatst. Ik voelde hun
lichaamswarmte op mijn bovenarmen. Opeens zei de kleine: 'Jeremiah begreep hoe de wereld moest zijn.' Hij had een zware
stem en zijn uitspraak was zangerig.

'Klopt,' beaamde de grote.

'Jeremiah begreep mensen,' zei de kleine.

'Ja, hij begreep ze zeer goed,' zei de grote.

Ze schoven dichter tegen mij aan. Ze roken naar limoen en gedroogd gras. De haren op hun bovenarmen prikten in mijn huid. Het zweet brak me uit en ik deed een voorzichtige stap naar achteren. Als kwikdruppels sloten ze zich aan en begonnen tegen elkaar te fluisteren. Toen ik besloot naar buiten te lopen zei de grote: 'Waarom wilt u dit lezen? Wilt u leren van Jeremiah?'

'Mijn tante vertelde dat zijn afscheidsbrief hier lag en ik was benieuwd wat erin stond. Beschouw mij maar als een toerist,' voegde ik er lachend aan toe.

Ze keken elkaar aan en richtten hun blik weer op mij. 'Als u op zoek bent naar sensatie, moet u hier niet zijn,' zei de kleine. 'Als u iets wilt leren over de mens in al zijn hoedanigheden, zit u goed.'

'Ik ben niet op zoek naar sensatie.'

'Waar bent u dan naar op zoek?'

'Ik ben nergens naar op zoek.'

'Vreemd,' zei de kleine terwijl de grote hem toeknikte. 'Iedereen is ergens naar op zoek. Het staat niet stil in het hoofd, in het hoofd gaat het maar door, constant speurend naar antwoorden, naar de waarheid, groot of klein. Iedereen zoekt. U evenzeer.'

Alsof hij wist hoe ik in elkaar zat. 'Wie bent u als ik vragen mag?'

Weer die uitwisseling van blikken, net zo onbeschoft als hun gefluister van daarnet.

'Sorry, wij dachten dat u het wist.'

'Wat wist?'

'Van ons. Wij zijn de verantwoordelijken.'

'U bent bibliothecaris?'

'Nou, nou, dat is een erg groot woord voor onze activiteiten,' zei de kleine en begon te giechelen.

'Ja,' vulde de grote aan. 'Deze bibliotheek beheert zichzelf.'

'En het archief? Beheert u dat wel? Ik zou daar graag een kijkje nemen.'

'Archief?' zeiden ze tegelijkertijd.

'Ja? Er is mij verteld dat er een archief is.'

'Daarin moeten wij u teleurstellen. Wij hebben helemaal geen archief.' De kleine gebaarde door de ruimte. 'Als u dit een archief wilt noemen, mag dat.'

Vreemd. 'Ik had toch echt begrepen dat...'

'Nee, hoor.'

'Ik hoorde dat van Josie.'

'Josie?' zeiden ze weer tegelijkertijd.

'Dan bent u verkeerd geïnformeerd. Misschien bedoelde ze ons museum?' zei de grote.

'Waarom is er geen archief?'

'Waarom wel?' antwoordde de kleine en tikte met zijn wijsvinger tegen zijn slaap. 'Alles over Quisco zit bij ons in het koppie. Dus als u iets wilt weten, stel uw vraag gerust.'

Zou Josie dat hebben bedoeld? Waren deze twee mannen het wandelende archief van Quisco? 'Hoe heet u als ik vragen mag?'

'Een uitstekende vraag om mee te beginnen,' antwoordde de kleine. 'Van achteren zijn wij Goldstein. Van voren ben ik Brent en dit is mijn broer Harald.'

'Aangenaam kennis te maken,' zei Harald. 'En laten wij elkaar tutoyeren.'

Ik had gedacht op mijn gemak in een archief rond te kunnen

neuzen, nu zat ik met deze twee opgescheept. 'Nou, zodra ik een vraag heb, weet ik u te vinden. Nog een prettige dag verder.' Geïrriteerd liep ik de bibliotheek uit. De ondergaande zon kleurde de lucht oranjeroze en zette het plein in een vreemd blacklight-achtig licht.

'Vragen staat vrij,' riep Brent mij na.

Ik bleef staan. Twee inwoners boden aan mij van informatie te voorzien en ik liep weg? Ik leek wel gek. Ik draaide me om en liep terug. 'Kunnen wij een afspraak maken?'

'Wat dacht je van nu? Van de burgemeester begrepen we dat je een artikel gaat schrijven?' zei Brent.

'Klopt, ja.'

'Dat had je ons ook meteen kunnen zeggen.'

'Ja, dat is… Ik was bang dat het jullie zou afschrikken.'

'Wij schrikken niet zo snel,' zei Harald.

'Zullen we ergens gaan zitten?' stelde ik voor.

Brent stak zijn vinger op. 'Ik heb een idee. Wat dacht je van Eten & Drinken?'

23

Ze snelden met een identiek Charlie Chaplin-loopje voor me uit, alsof ze de bus moesten halen. Voor de zaak draaide Brent zich om, riep dat er een raamtafel vrij was en trok zijn broer aan zijn arm mee naar binnen.

Ik zei Thierry gedag die verbaasd toekeek hoe ik naar Brent en Harald liep die pijlsnel aan een tafel bij het raam waren gaan zitten. Ik liet me op de kunstleren bank zakken die een zucht leek te slaken en legde mijn notitieblok voor me. Verwachtingsvol keken we elkaar aan. Als de poten van een hooiwagen staken hun rugharen door het katoenen netwerk van hun hemd. Ik had geen idee waar ik moest beginnen. De broers brachten mij uit mijn evenwicht.

'Wat mag het zijn, heren?'

Dankbaar keek ik Thierry aan en bestelde een glas citroenlimonade in de hoop dat de extra zuren het verteringsproces in mijn maag zouden bespoedigen.

'Voor ons ook. En doe voor mij maar een biefstuk. Jij ook, Brent?'

'Graag, Harald.'

'Fijn dat jullie mij willen helpen,' zei ik. 'Ik zou wel wat meer over Jeremiah willen weten. Wat voor type was hij?'

Harald kwam met een zuigend geluid los van de bekleding en boog zich naar mij toe. 'Jeremiah was de meest sociaal bewogen man die ooit heeft bestaan.' Toen sloeg hij met zijn vlakke hand op tafel. 'Elk mens heeft recht op een normaal leven, niemand uit-gezonderd.'

'Eh... ja, dat ben ik met je eens.'

'De verstotenen der aarde, dat waren Jeremiahs mensen. De verstotenen der aarde moeten beschermd worden, omdat ze niet bij machte zijn dat zelf te doen. Dat principe ligt aan de basis van zijn maatschappijfilosofie.'

'Vallen jullie daar ook onder?'

Brent wees naar Harald en vervolgens naar zichzelf. 'Kijk naar ons. Wat zie je?'

'Eh, twee wat oudere mannen, broers...'

'Zullen wij hem een handje helpen, Harald?' Harald knikte. 'Wat jij ziet, zijn inderdaad twee oudere mannen. Je vraagt je af waarom wij zo eender zijn, waarom wij zeggen wat we zeggen en ons zo gedragen. Je vraagt je dat niet zomaar af. Jij stelt jezelf die vraag omdat wij niet in het plaatje passen. Jij praat alleen met ons omdat je ons nodig hebt. Normale mensen vinden ons vreemd, en alles wat vreemd en onaangepast is... Nou, dat snap jij wel, hoe dat werkt.'

'Onaangepastheid is een keuze.'

Brent boog zich iets naar voren en vernauwde zijn ogen. 'O ja?'

'Ja. Je niet willen conformeren aan de rest, daar kies je zelf voor.

Als je mee wilt doen in de maatschappij, zal je je moeten aanpassen, zo simpel is het.'

De mannen keken elkaar aan, knikten en keerden zich weer naar mij. 'Wij zullen je vertellen hoe vrij die keuze is.' En ze vertelden mij hun schrijnende levensverhaal. Naarmate ze vorderden, en mijn pen over mijn notitieblok vloog om hun woorden – ze maakten elkaars zinnen af en vulden elkaar om beurten aan – bij te houden, drong het tot mij door dat zij nooit de mogelijkheid hadden gekregen zich aan te passen. Niemand had ze geleerd hoe dat moest.

'Begrijp je het nu, Evander?' zei Brent. 'Hier hoeven wij onszelf niet te verloochenen.'

'Het heeft niks met verloochenen te maken. Denken jullie dat ik dat doe?'

'Je gebruikt termen als conformeren, aanpassen. Die houden in dat je jezelf, je ware ik, opzij moet zetten. Het is precies andersom. Conformeren en aanpassen is een keuze. Jezelf zijn niet. Sommigen gaat dat makkelijk af, anderen hebben er meer moeite mee. Er is vaak geen plek voor. Hier wel.'

'Als dat zo is, betekent het dat iedereen in Quisco is verstoten.' Ik grinnikte. 'Nou, de laatste die verstoten is, is Selma, dat kan ik jullie verzekeren. Die heeft er zelf voor gekozen om hier te wonen.'

'Iedereen heeft er zelf voor gekozen,' zei Harald. Toen bedacht ik dat Selma wel degelijk verstoten was. Door mijn opa.

'Gelukkig werden wij op Quisco geattendeerd,' zei Brent. 'We hebben lang gezocht naar een plek waar ze ons wilden hebben. Je herkent het vast wel, de wetenschap dat niemand je in zijn omgeving duldt. Dat ze je liever kwijt zijn dan rijk.'

Geen idee waarom, maar het voelde alsof ik in tranen kon uit-
barsten. Ik slikte de brok in mijn keel weg. Wat was dat met deze
mensen? Hoe kregen ze het voor elkaar emoties bij mij los te maken waar ik geen weet van had? En waar kwam dat zelfmedelijden
ineens vandaan, want dat was het. Ik was geen onaangepaste en
zeker geen zielig hoopje mens dat nergens kon aarden en naarstig
op zoek was naar lotgenoten. Maar door wat ik nu wist, begreep ik
hun keuze voor Quisco. Als je in een uitzichtloze situatie zit en je
kiest voor het leven, is een omgeving met gelijkgestemden de uitkomst. Ze leefden hier en gingen er dood. Maar wat bracht dit leven ze dan verder nog? 'De verwerking van jullie trauma, vindt
dat in Quisco plaats?' sprak ik als een volleerd therapeut.

'Nee,' zeiden ze tegelijkertijd.

'Nee,' herhaalde Harald. 'Dat is het hem juist. Wij komen er
nooit meer bovenop. Daarom zitten we hier.'

Het klonk verdomd veel als een open inrichting. Vooralsnog
waren de mensen die ik had ontmoet wat excentriek, maar het
waren geen patiënten, of ik moest me schromelijk vergissen. Er
ging me een licht op. 'Wat voor arts was Martha eigenlijk?'

'Een uitstekende arts,' zei Brent.

'Maar hielp ze ook mensen met psychische problemen?'

'Dat stadium zijn we allang voorbij,' antwoordde Harald. 'Jeremiah heeft ons de mogelijkheid gegeven te leven, en leven alleen
is voldoende.'

'Hij klinkt als een idealist.'

'Jeremiah was een realist. Hij geloofde in gemeenschapszin, in
de goedheid van de mens,' zei Brent die de suikerpot oppakte. De
suiker zat aan de binnenkant tegen het glas geplakt. Hij bonkte er

een paar keer mee op de tafel, hield zijn hand onder de tuit en goot er een hoopje suiker in. Gefascineerd keek ik toe hoe hij de suiker oplikte. Zijn tong was het enige onbehaarde aan hem: roze en glad. Hij smakte met zijn lippen en zei: 'Martha paste hier niet. Niet meer. Voordat dat kind er was, deed ze het goed, maar daarna... Josie maakte iets bij haar los waar je hier niets aan hebt.'

'En dat was?'

'Een toekomstbeeld.'

'Is dat zo erg?'

'In Quisco bestaan wij slechts en hebben een verleden waar wij mee moeten leven. Een kind heeft dat niet. Josie hoorde niet in Quisco, en Martha begon te twijfelen.'

'Waaraan?'

'Aan zichzelf. Aan Quisco. Aan Jeremiah. Aan ons...' Brent dacht even na en zei: 'Het was nieuw voor iedereen. Ze was de eerste twijfelaar van Quisco. Dat was even wennen. Een eerste is altijd wennen.'

'Vreemd. Anderen zeggen dat Martha Quisco nooit zou verlaten.'

'Je moet niet alles geloven wat ze zeggen.'

'Als ze Josie zo graag een toekomst wilde geven, had ze toch gewoon haar biezen kunnen pakken? Ik snap het probleem niet.'

De uitwisseling van blikken die ik had verwacht, bleef uit. Oprecht verbaasd keken ze mij aan.

'Heren,' zei Thierry.

Als gieren doken de broers op hun eten terwijl Thierry en ik toekeken hoe de biefstuk in rap tempo in hun monden verdween. Precies tegelijkertijd waren ze klaar. Het ontroerde me zo'n synergie tussen twee mensen te zien. Thierry ontroerde het zichtbaar niet, want om de een of andere reden keek hij wat stuurs. Hij pakte de lege borden op, zei: 'Roddelen over plaatsgenoten is onethisch,' en liet ons achter.

'Thierry heeft gelijk,' zei Brent tegen Harald. 'Het is niet netjes. Kom, we gaan.' Ze stonden op, murmelden een groet en liepen de deur uit. Thierry kwam terug met de rekening en zei: 'Die twee weten veel over Quisco, maar spreek de mensen waar je meer over wilt weten zelf. Baseer je conclusies niet op de mening van anderen. Daar krijg je alleen maar gedonder mee.'

24

HET WAS alsof mijn schrijfhand een eigen leven leidde. De woorden die het verhaal van Harald en Brent vormden, denderden als een kudde op hol geslagen koeien het papier op.

Hun ouders woonden op het noordelijkste puntje van het land, in een onherbergzaam gebied, en leefden van wat de natuur hun verschafte. Brent en Harald groeiden daar op in een volledig isolement. Ze zaten in een schuurtje waar geen daglicht binnenkwam en waar het karige voedsel via een luik de ruimte in werd geschoven. Brent en Harald hadden alleen elkaar.

Op een dag kwam er geen eten meer door het luik. Het duurde nog een paar dagen voor het bij ze opkwam het hok te verlaten. Ze duwden de deurklink naar beneden en stapten naar buiten. Op mijn vraag waarom ze de deur niet eerder open hadden gedaan, zeiden ze dat ze al die tijd geen gebruik hadden gemaakt van de vrijheid die slechts op een paar meter afstand van ze verwijderd was, omdat ze niet wisten wat vrijheid inhield.

Ze trokken de wijde wereld in. Ze hadden geen geld, geen onderkomen en zwierven tot ze in een bos een boomhut aantroffen. Hoog in de boom mijmerden ze over hun bestaan in het hok, een bestaan dat overzichtelijk was, dat ze begrepen. Toen sloeg het noodlot toe. Uit het nabijgelegen dorp werd een vrouw vermist. De speurhonden leidden de politie naar Brent en Harald die in een cel werden gegooid.

Daar zaten ze, in hun cel, waar het voedsel via een luik naar binnen werd geschoven en ze leefden helemaal op. Toen ze doorkregen dat ze, als ze schuld bekenden, voor altijd vast zouden blijven zitten, zeiden ze volmondig ja toen hun gevraagd werd of ze de verdwijning van die vrouw op hun geweten hadden. Ze werden veroordeeld zonder dat er een lichaam was. Exact een jaar later werd de vrouw gevonden. Ze lag in het bos, vlak bij de boomhut. Uit niets bleek dat ze door geweld om het leven was gekomen. Een advocaat trok zich het lot van de broers aan en de zaak werd heropend. Ze werden onschuldig bevonden, maar volgens de dorpelingen wees alles erop dat deze twee mannen er iets mee te maken hadden.

Brent en Harald trokken hun boomhut weer in. Op een avond hoorden ze een enorm kabaal. De dorpelingen hadden zich verzameld en de mannen werden verdreven. Weer zwierven ze rond, tot iemand zich hun lot aantrok en ze naar Quisco bracht. Toen ik ze vroeg wie dat was geweest, wilden ze mij dat niet zeggen.

Ik werd wakker van de geur van aangebrande toast. Toen ik met slaapogen de keuken binnenliep die blauw zag van de rook, dirigeerde Selma mij naar buiten om de krant uit de brievenbus te halen.

Teruglopend scande ik de koppen van *Quisco Nieuws*. Er werd met geen woord over Martha gerept. Op de voorpagina prijkte, als aankondiging voor de jaarmarkt die over twee dagen werd gehouden, een groepsfoto van het organisatiecomité. Ze hadden zich als een voetbalteam voor het standbeeld van Jeremiah opgesteld. Zes vrouwen keken lachend de camera in. De middelste van de vijf mannen, die gehurkt voor de vrouwen zaten, hield een bord vast. 'Jaarmarkt' stond erop en daaronder het jaartal. Deze foto was vijftien jaar geleden genomen.

Het begeleidende artikel beschreef alle jaarmarktactiviteiten. Zo werden op de braderie diverse lokale producten aangeboden, waaronder uiteraard de jam van Dorothea, kon men bij Brent en Harald boeken krijgen en Eten & Drinken hield voor de gelegenheid een barbecue op de stoep waar Big John hamburgers ging braden. In een kader stond een activiteitenschema. Er was een wedstrijd boomstamzagen en ook werd er een prijs uitgeloofd voor degene die het mooiste rozenboeket had gemaakt. Vanaf acht uur 's avonds kon er op het plein worden gedanst. Dat zou een dolle boel worden.

Behalve dat er niets in de krant stond over Martha, vonden ze het ook onnodig de jaarmarkt af te gelasten. Gisteren was hun huisarts dood gevonden, maar een dag van rouw en bezinning was Martha Mulder niet gegund. Waarom niet?

'Er staat niks over Martha in,' zei ik tegen Selma en legde *Quisco Nieuws* naast haar bord.

Selma zette een mandje op tafel. 'Zo, kijk eens wat ik voor je heb? Verse aardbeitjes uit eigen tuin.' Ze ging zitten en begon de blaadjes van de aardbeien te plukken. 'Evander, jij bent het anders gewend, maar wij melden alleen iets als er daadwerkelijk iets te melden valt.'

Ik wees naar de krant. 'Nou, me dunkt dat...'

'Iedereen weet dat ze gevonden is en bij Big John ligt. Het is geen nieuws en daarom staat het er niet in. Snap je wat ik bedoel? Dat,' zei ze terwijl ze met haar elleboog naar de krant gebaarde, 'is wel nieuws.'

'De jaarmarkt? Nieuws?'

'Het is overduidelijk dat je met het verkeerde been uit bed bent gestapt.'

'Jullie weten toch al het hele jaar dat die wordt gehouden?'

'Ja, maar wie er allemaal op de braderie staan, welke activiteiten er kunnen worden gedaan en hoe laat, dat was nog niet helemaal duidelijk. Nieuws dus.'

Ik trok de krant naar me toe en bladerde erdoorheen om te kijken of ik Selma ongelijk kon geven, toen mijn oog op een advertentie viel van Slagerij Big John. De biefstuk was in de aanbieding. Twee voor de prijs van één. 'Wat vindt u ervan dat Martha bij Big John in de vriezer ligt? Leggen jullie ze daar altijd tijdelijk neer?'

'Hou eens op, zeg. Alsof we hier wekelijks lichamen vinden. Maak je geen zorgen, de mensen uit West komen haar heus wel ophalen.'

'Wanneer?'

'Hoe moet ik dat nou weten?'

'Ik neem aan dat ze haar snel willen onderzoeken? Of laat het jullie koud dat een van jullie inwoners om het leven is gebracht en haar moordenaar misschien nog vrij rondloopt? Is het niet van belang dat de schuldige wordt opgepakt?'

'Dat het recht moet zegevieren is iets waar vooral nabestaanden en geagiteerd volk dat genoegdoening zoekt zich aan vastklampen.'

'Ecn moordenaar laten jullie dus gewoon gaan?'

'Ze zijn ermee bezig, Evander.' Zuchtend duwde ze het mandje van zich af. 'Vertel. Wat is er aan de hand? Waarom maak jij je er zo druk over?'

'Omdat ik volgens mij de enige ben die zich er druk om maakt.'

'Je vergist je.'

'Ik krijg onderhand het idee dat jullie hier je eigen regels hanteren als het gaat om het handhaven van de wet.'

'Hoe kom je daar nou weer bij?'

'Waarom windt niemand zich erover op dat Martha vermoord is? Wat is dat voor idioots? Hebben jullie geen gevoel?'

Ik schrok van de manier waarop ze mij aankeek. Misschien was ik te ver gegaan met die opmerking. Ik stond op. 'Ik ga een eindje lopen. Ik moet even een luchtje scheppen.'

'Dat lijkt me heel verstandig.'

Ik wees naar de advertentie van Slagerij Big John. 'Zal ik biefstukken voor ons halen?'

Ze haalde haar schouders op en boog zich over haar aardbeien.

Het was iets minder warm dan gisteren, dus besloot ik mijn auto te laten staan en naar Big John te lopen. Een wandeling deed me altijd goed als ik dingen op een rij moest krijgen, en de woordenwisseling met Selma had me ontstemd. Ik had niet zo tegen haar tekeer moeten gaan. Zodra ik weer thuis was, zou ik het goedmaken.

Ik stapte de berm in en keek toe hoe een zwaarbeladen pick-up voorbijreed, de achterbak vol met metalen frames, planken en opgerolde doeken waar stokken uit staken.

Het inrichten van de jaarmarkt was in volle gang. De pick-up stond naast het standbeeld van Jeremiah en de chauffeur laadde de onderdelen van de kraampjes uit. Voor zijn zaak balanceerde Thierry op een wankel trapje, druk doende met het vastmaken van een vlaggetjesslinger aan de rand van zijn zonnescherm. Toen ik dichterbij kwam, zag ik dat op elk vlaggetje het zelfportret van Jeremiah stond.

'Doe je best, Thierry,' riep ik hem in het voorbijgaan toe.

Hij draaide zich zo abrupt om dat het trapje begon te wankelen. In een reflex – als je erover nadacht, wist je dat Thierry ternauwernood door een persoon overeind te houden was – schoot ik naar voren en greep het trapje vast. Wonder boven wonder wist Thierry zijn balans te hervinden.

'Oeioeioei, dat was kantje boord.'

'Sorry, Thierry. Ik maakte je aan het schrikken.'

'Alles is in orde.'

'Volgens mij wordt het mooi, met die vlaggetjes.'

'Ja, vind je het wat? We doen het elk jaar zo. Ik denk telkens, man, verzin toch eens iets anders, maar dit is traditie, hè. De mensen stellen het erg op prijs.'

'Succes ermee. Ik kom zo nog even langs, ik moet naar de slager.'

Zijn ogen werden groot. 'Selma gaat toch geen vlees voor je braden?'

'Die schone taak heb ik op mij genomen,' glimlachte ik, nam met een zwaai afscheid en liep de hoek om.

In de etalage lagen op elkaar gestapelde hompen vlees. Op de kaartjes die er met een vleespen in waren gestoken, stond wat het voor vlees was en welke boer het dier had geleverd. Al het vlees was van de koe en er stond maar één naam op het kaartje. Boer Sven.

Ik glimlachte naar de klanten die zich op het getingel van de bel hadden omgedraaid en snoof diep in. Ik hield van die vettige, bijna kauwbare, geur die in slagerijen hing. Op de tegelvloer lag zaagsel. De wit betegelde muren glommen en in het midden van dat alles stond Big John in een bebloed schort achter een hakblok waar hij, haast maniakaal, in een stuk vlees stond te hakken. Onder het afhandelen van de bestellingen keek hij regelmatig op van zijn werk om mij steels te bekijken. Zodra onze blikken elkaar kruisten, sloeg hij zijn ogen neer. Toen ik aan de beurt was, bestelde ik twee biefstukken voor de prijs van één. 'Een voor mij en een voor mijn tante Selma,' voegde ik eraan toe.

'U heeft geluk, ze zijn bijna op.' Hij trok het stuk vlees naar zich toe en sneed er zorgvuldig twee stukken vanaf. 'U gaat ze toch wel zelf bakken, hoop ik?'

'Dat was wel het idee.'

'Doe mij een lol en laat Selma ervan afblijven. Dat zou zonde zijn van dit meesterlijke vlees.'

Ik moest grinniken. 'Afgesproken.'

Terwijl Big John de biefstukken in papier verpakte zei ik: 'Ik hoorde dat Martha hier ligt?'

Hij stopte met zijn handeling en keek me met zijn ietwat scheefstaande ogen onderzoekend aan. Zijn hoofd was te klein voor zijn lichaam en zijn grootte zat meer in de breedte dan in de lengte. 'Dat hangen we liever niet aan de grote klok.'

'Ik dacht dat iedereen het wist?'

'Betekent dat meteen dat we het erover willen hebben?'

'Dus jullie doen alsof er geen vuiltje aan de lucht is?'

Big John schoof het pakje in een papieren tasje. 'Waarom moet iedereen weten wat er in mijn vriezer ligt?'

'U bent de enige slager in Quisco, dus u zult er echt geen klanten door verliezen. Waar ligt ze precies?' Hij zette het tasje op de toonbank. 'Wanneer wordt ze weggehaald?'

'Sheriff Cordon is ermee bezig. Waar bemoeit u zich eigenlijk mee?'

'Het lijkt mij voor u uitermate onprettig.'

'Er is geen Martha meer.'

'Dat weet ik.'

'U kunt ons wel afschilderen als onbeschaafde lieden, maar we moeten ons zien te redden met wat voorhanden is. We doen ons best.' Hij noemde het bedrag dat ik hem schuldig was. Met zijn dikke worstvingers frummelde hij in de kassalade en reikte me een paar muntjes wisselgeld aan. Op het moment dat ik ze van hem aan wilde pakken, liet hij ze uit zijn vingers vallen. Met een vrolijk gerinkel belandden de muntstukken op de tegelvloer en rolden alle kanten op. Toen ik hem stomverbaasd aankeek, zei hij: 'Ik zou je paternalistische toontje wat temperen als ik jou was. Jij hebt ons harder nodig dan je denkt.'

Achter mij ging de deur open. Big John begroette de twee mannen die binnenkwamen. Terwijl ik de muntjes van de vloer raapte, voelde ik een intense woede opkomen. Hoe durfde hij me zo denigrerend te behandelen en mij ten overstaan van anderen achter mijn geld aan te laten kruipen. Ik wist wat ze dachten en hoe ze naar mij keken. Ze voelden zich boven mij verheven, ze vonden mij een stakker. Toen ik de deur uitliep, riep Big John: 'Tot ziens. En doe Selma de groeten.'

Ik stak het plein over en nam de weg richting Prudentia. Wat dacht die vent wel niet? De arrogantie van de achterlijkheid vierde hoogtij in Quisco. Nu ik erover nadacht was ik nog geen enkel normaal persoon tegengekomen, met uitzondering van Josie, die welbeschouwd het abnormaalst was van het hele stelletje. Ik zou ze laten zien dat ik wist hoe ze in elkaar zaten en wat ze bewoog. Al hun idiote gewoonten zou ik kenbaar maken. Alleen al het feit dat een lijk bij de slager in de vriezer lag, zou inslaan als een bom. En dat niemand aanstalten maakte de dood van Martha serieus te onderzoeken zou Quisco op een manier op de kaart zetten waar ze niet blij van werden.

Selma was niet thuis. Op het pakje met biefstukken schreef ik dat ik om vijf uur thuis zou zijn en opende de ijskast om het erin te leggen. Tot mijn verbazing was die leeg.

25

GISTEREN WAS ik er met de auto in no time, maar lopend was het Kruispad verder dan ik dacht. Ik had geen water bij me en had in al mijn wijsheid mijn petje thuis laten liggen. Het zweet droop van me af en na een halfuur dansten zwarte vlekken voor mijn ogen. Wat een onzinnig idee om de plaats delict te bezoeken. Wat dacht ik daar te vinden? Een sigarettenpeuk van de dader met zijn voetafdruk ernaast? Ik vervloekte mijn stupiditeit, bleef staan en legde mijn handen op mijn knieën. Ik klonk als een astmapatiënt en bij elke inademing sneed de gortdroge lucht in mijn luchtpijp.

Mijn duizeligheid trok weg. Langzaam ging ik rechtop staan en begon weer te lopen. De braamstruiken aan weerszijden van het zandpad – ik had nog nooit zulke joekels gezien – leken met elke stap die ik zette dichterbij te komen en de weg te versmallen. Terwijl ik verder liep, rezen ze als monsters boven mij uit, de bramen als glinsterende bloeddruppels in hun groene bladervacht.

Op het moment dat ik het welletjes vond en besloot terug te

gaan, zag ik de bandensporen van de auto van de sheriff die over-dwars op het pad had gestaan. Ik liep er voorbij, hield links aan en stapte ter hoogte van de plek waar ik sheriff Cordon en Rick Shade had zien praten de berm in. Voorzichtig schoof ik langs de braam-struiken met doornen van zeker vijf centimeter lang en kamde zo'n twintig meter af in de hoop iets te vinden wat de sheriff over het hoofd had gezien. Na een paar stevige prikken stapte ik het pad weer op.

Ik ontdekte de begraafplaats bij toeval. Ongeveer vijfhonderd meter van de plek waar Martha was gevonden, liep ik naar de kant van de weg om te plassen. Luisterend naar het zachte gekletter te-gen de boomstam, keek ik door een smalle opening tussen de struiken en zag, achter een roestig hekwerk, een grafsteen scheef in de grond staan. Een paar meter verder nam ik zijdelings het overgroeide paadje dat tussen de braamstruiken door liep. Het leidde naar een arcade, overgroeid met een klimop die bijna tot aan de bovenste steen reikte waarin met uitgehouwen letters het woord RUSTPLAATS stond. Er zat geen hek aan vast, dus ik had er gewoon omheen kunnen lopen, maar ik liep er onderdoor, geen idee waarom, misschien uit een vorm van respect.

Strakke rijen met witte grafstenen, met de namen van de overle-denen erop, keurig in het gelid en op volgorde van sterfdatum in een pas gemaaid grasveld. Dat was zoals ik het mij had voorgesteld. Maar in tegenstelling tot de rest van Quisco was de begraafplaats een bende. Schijnbaar was ordentelijkheid voor deze mensen al-leen tijdens het leven belangrijk. Ik vroeg me af of ze ook zo met het graf van Jeremiah omsprongen. Hun verering voor de man was een mausoleum waard, maar ik zag niets wat daarop leek.

Het harde verdorde gras reikte tot mijn knieën en prikte door mijn broek. Bij een van de grafstenen hurkte ik en veegde de begroeiing weg. Die moeite had ik me kunnen besparen. Ik ging ervan uit dat de tekst en de datum geërodeerd waren, want het steenoppervlak was onbewerkt, mossig en groen uitgeslagen. De volgende grafsteen zag er eender uit.

Zo slalomde ik langs de zerken die kriskras op het terrein stonden, tot ik een steen ontdekte waarop een nummer stond. 1506. De daaropvolgende grafstenen droegen ook allemaal een nummer. Waarom geen namen? Wilden ze hun zelfverkozen anonimiteit tot in de dood doorvoeren, als ongeïdentificeerde personen in een massagraf? Of verloren de inwoners van Quisco bij overlijden hun bestaansrecht in de herinnering? Was dat de gedachte? Maar ook dan hadden ze dat op een nette manier kunnen doen. Uit alles bleek dat het ze volkomen onverschillig liet hoe hun doden erbij lagen.

Hoe verder ik het veld op liep, des te nieuwer de zerken eruitzagen, maar alle graven waren even slecht onderhouden. Toen stuitte ik op een graf dat eruit sprong. Hij lag in de schaduw van een acaciaboom en droeg nummer 6521. Deze was schoner dan de andere, maar wat vooral opviel was het koperen vaasje naast de zerk waar een verdorde roos in zat. Ik zakte door mijn knieën en trok hem eruit.

De buitenste verdroogde bloemblaadjes stonden rechtop, maar de binnenste waren verkleurd en zodanig vervormd dat ze een grijnzende doodskop vormden. Ik bekeek de roos voor een tweede keer, maar mijn hersenen weigerden iets anders waar te nemen en hielden vast aan mijn eerste perceptie. Toen ik de roos terugzette, keerde hij zich in zijn zwaartepunt van mij af. Er was in elk geval één persoon in Quisco die het fatsoen had een overledene te eren en had geprobeerd iets van het graf te maken.

Ik nam dezelfde weg terug en liep het Kruispad op. Mijn hoofd bonkte en ik verging van de dorst. Om wat schaduw op te vangen stapte ik de berm in en gleed zo dicht mogelijk langs de braamstruiken. Op zo'n tien meter van de plek waar Martha was gevonden, begonnen de struiken te bewegen en stapte Dorothea het pad op.

'Hé, hallo,' zei ik.

'Evander? Wat doe jij hier?'

Ik zag dat haar mand, op een fles water na, leeg was. Ik wees naar achteren. 'Ik kom van de begraafplaats.'

'De rustplaats? Daar komt nooit meer iemand.'

'Het viel me al op dat het slecht onderhouden wordt.'

'Het onderhouden van een graf vult het gat van het gemis niet op.'

'Is dat een citaat?'

'Nee, een feit.'

'Ik zag welgeteld één vaasje staan.'

'Een vaasje?'

'Met een roos erin?'

'O, dat. Ja, dat is het graf van Peter Mulder. Martha kwam er weleens.'

Natuurlijk, hoogzwangere Martha die haar man voor haar ogen in het rozenbed te pletter had zien vallen. 'Waar ligt Jeremiah eigenlijk? Ik kan me niet voorstellen dat jullie hem onder een steen met een nummer hebben begraven.'

'Nee. Jeremiah hebben we het liefst zo dicht mogelijk bij ons.'

'Ligt hij ergens in het centrum?'

'Hij ligt nergens,' zei ze op een irritant geheimzinnig toontje.

'Vreemd. Je zou toch denken dat er voor de stichter van Quisco een speciale plek is uitgezocht.'

'Dat is ook zo. Alleen ligt hij nergens, maar staat hij op een speciale plek.'

Jezus... 'Wacht even, gaat u mij nou vertellen dat Jeremiah... dat beeld? Op de rotonde? Zit hij daarin?'

'Ja. Mooi hè? Zo zien we hem elke dag.' Ze pakte haar mand. 'Loop je mee?'

In een bij de hitte passend tempo liepen wc het Kruispad af. Argus zigzagde snuffelend voor ons uit. Dorothea bood mij haar fles water aan die ik gretig aan mijn mond zette. Ik goot wat water in mijn hand en streek ermee over mijn brandende nek.

Terwijl ik naast haar liep, luisterend naar haar opgewekte gebabbel over de warmte en de kans op uitdroging en een zonnesteek en dat ik voortaan water mee moest nemen, probeerde ik een manier te verzinnen om hetgeen ik over haar verleden wist, ter sprake te brengen. Ik keek opzij. Alles aan deze vrouw, met haar vriendelijke, ietwat bedeesde uitstraling en die eruitzag alsof ze nog geen vlieg kwaad kon doen, druiste in tegen het beeld van Dorothea die haar huis binnenliep en haar gezinsleden in koelen bloede om het leven bracht.

'Hoe bent u in Quisco verzeild geraakt?'

'Tja, hoe raakt een mens ergens verzeild?'

'Zal ik het lijstje voor u opnoemen?' zei ik met een glimlach. 'Liefde, werk...'

'Ik ken het lijstje,' glimlachte ze terug. 'Mijn reden staat er niet op.'

'O?'

'Ik vind het moeilijk om erover te praten, dus als je het niet erg vindt...'

Ik vond het wel erg. Ik wees naar haar lege mand. 'Stoorde ik u bij het zoeken naar bramen?'

Ze twijfelde even voor ze antwoord gaf en zei: 'Eerlijk gezegd keek ik of ik iets kon vinden waarmee ik aan het onderzoek kan bijdragen. Je moet weten dat ik na Martha's verdwijning verantwoordelijk was voor het doorzoeken van dit gebied. Ik snap niet hoe het mogelijk is dat ik haar niet heb zien liggen.' Betraande ogen of een verstikte stem bleven uit. Ze vertelde het als iemand die naar de keukenschaar had gezocht en die na lang zoeken terug had gevonden op de plek waar ze hem eerder had weggelegd. 'Ik ben de hele weg afgelopen, heb geen meter van de berm overgeslagen. Die taak was aan mij toevertrouwd en je kunt ervan op aan dat ik het grondig heb aangepakt. Als ik haar toen had gevonden en ze nog had geleefd, had ik haar misschien kunnen helpen.'

'U moet zichzelf met dergelijke gedachten niet pijnigen. Ik kan me niet voorstellen dat u haar toen over het hoofd heeft gezien en vraag me eerder af hoe ze op het Kruispad terecht is gekomen. Ik zal de sheriff eens vragen naar zijn theorie.'

'Cordon? Die heeft echt geen theorie hoor. Die heeft geen idee wat hij ermee aan moet. Dit gaat hem boven zijn pet. Maar hij is dan officieel ook helemaal geen sheriff.'

'O? Hoe is hij dat dan geworden?'

'Rick Shade heeft hem benoemd. Die had niet verwacht dat we

ooit een echte sheriff nodig zouden hebben. En nu, sinds Martha's verdwijning, loopt Cordon stoer in dat uniform rond, zo van "kijk mij eens". Ja, Evander, je kunt Cordon van veel betichten, behalve van kennis van zaken. Die man doet maar wat. Trouwens, de politie doet altijd maar wat.' Dorothea boog zich voorover, duwde de drol van Argus met een stokje de berm in en zei: 'Weet je dat het mij niets zou verbazen als hij Martha's onderzoek saboteert?'

'Daar zegt u nogal wat.'

'Waarom wordt haar lichaam niet opgehaald? Ze ligt nog steeds bij Big John.' Haar ogen vernauwden zich. 'Heb jij je al afgevraagd waarom het onderzoeksteam uit West nog niet gesignaleerd is?'

Tot nu had ik Cordons laksheid gewaardeerd omdat het mij goed uitkwam. Ik had er niet bij stilgestaan dat het vertragen van het onderzoek een bewuste actie kon zijn. Als niemand van buiten wist dat Martha Mulder gevonden was, kwamen er geen journalisten en werden er geen vragen gesteld. Had Dorothea gelijk en had de sheriff een verborgen agenda? En hoe zat het met Rick Shade? Hij was uiteindelijk degene die in Quisco de beslissingen nam. 'Dat is inderdaad vreemd, maar aan de andere kant weet iedereen in Quisco dat ze dood is. Dus hoe je het ook wendt of keert: het onderzoek zal ooit moeten plaatsvinden.'

'Ik betwijfel of zo'n onderzoek er ooit zal komen.'

'Wilt u beweren dat Cordon de dader beschermt?'

'Het kan geen vreemde zijn geweest. Vreemden worden in Quisco meteen opgemerkt.' Dorothea riep Argus bij zich die een paar meter terug aan de struiken stond te snuffelen. 'Ik praat veel te veel. Sorry Evander, maar ik moet ervandoor. Ik heb een afspraak over de jaarmarkt,' zei ze en zette de pas erin.

○ ○ ○ ○ ○

Bij de meeste mensen wordt de dunne bleke babyhuid naarmate de jaren verstrijken minder kwetsbaar. Bij mij bleef de kwetsbaarheid.

Ik kon me herinneren dat ik een keer de tuin in liep en mijn moeder gillend het huis uit kwam rennen, mij optilde en naar binnen droeg. Die vijf minuten dat ik buiten was, langer was het niet, veroorzaakte rode vlekken op mijn huid: de voorbode van een fikse verbranding. Er kon geen zonnebrandmiddel tegenop.

Mijn moeder beklaagde zich erover. Tegenover iedereen die het geduld opbracht om naar haar geraaskal te luisteren, liet ze weten hoe erg ze het vond dat ze niet als een normale moeder met haar kind in het zonnetje kon zitten of een wandeling kon maken.

Daar meende ze geen woord van. Want ze was geen normale moeder. En ik was geen normaal kind.

○ ○ ○ ○ ○

26

Ik keek Dorothea na tot ze de bocht omging en begon te lopen. Naast hoofdpijn was ik een beetje misselijk. Ik verlangde naar een koude washand op mijn voorhoofd en een glas ijswater.

Het was maar goed dat Jeremiah het gesprek tussen Dorothea en mij niet had gehoord. Ik begon onderhand medelijden met hem te krijgen. In al zijn idealisme had hij uit het oog verloren dat de mens uiteindelijk maar één streven heeft: het overbruggen van de periode tussen geboorte en dood met zo min mogelijk weerstand. Mensen leven niet, ze overleven, desnoods over de ruggen van anderen, en als het moet gaan ze over lijken. Niks één voor allen, allen voor één, maar ieder voor zich.

Mijn overpeinzingen waren me aan te zien, want het eerste wat Selma vroeg toen ik de keuken binnenliep – voor het eerst sinds mijn komst hing er geen etensgeur – was of ik slecht nieuws had ontvangen. Ongevraagd schonk ze mij een glas citroenlimonade in dat ik in één teug achteroversloeg.

'Je bent verbrand,' constateerde ze.

De stoel plakte aan mijn rug en bovenbenen en de limonade deed mijn maag ineenkrimpen. 'Ik voel me slecht, ik moet even gaan liggen,' zei ik en maakte aanstalten om op te staan, maar Selma legde haar hand op mijn schouder en drukte me naar beneden.

'Eerst moet je mij vertellen wat er aan de hand is,' zei ze, dook de ijskast in en hield een kan omhoog. 'Karnemelk. Buig eens voorover.' Ze goot wat in haar hand en smeerde mijn nek ermee in. Het schrijnende gevoel verminderde vrijwel direct en het verkoelende vocht droop langs mijn hals. 'Kom, vertel op.'

'Ik ben teleurgesteld in de mens,' zei ik terwijl de zure lucht mijn neus bereikte.

'Als dat het enige is,' grinnikte ze. 'Ik heb een motto voor je. Koester geen hooggespannen verwachtingen, dan kunnen ze alleen maar meevallen.'

'U heeft gelijk, maar dat maakt het leven er niet leuker op.'

'Ik kan erover meepraten. Doe als ik heb gedaan. Schrijf al je verwachtingen onder elkaar op, en streep ze vervolgens door. Geen verwachtingen hebben geeft rust,' zei ze terwijl ze weer wat karnemelk in haar hand schonk en verderging met insmeren.

'Ik vraag me af waarom het onderzoek stagneert. Het is alsof Cordon niet wil weten wat er met Martha is gebeurd.'

'Ik denk dat Cordon bang is zijn demonen tot leven te wekken.' Ze legde een theedoek in mijn nek. 'Zo, ga maar weer rechtop zitten.'

Wat nu weer? Ik pakte de uiteinden van de theedoek en rechtte mijn rug. 'Demonen?'

Ze waste haar handen en droogde ze nadenkend af. 'Het is nogal privé.'

'Alles wat u zegt blijft tussen ons. Echt.'

Ze aarzelde en zei: 'Je moet weten dat sheriff Cordon geen echte sheriff is.' Ik keek even verbaasd als van mij werd verwacht. 'Hij is voor het leven geschorst. Het is best sneu. Het was een zeer ernstige kwestie,' vervolgde ze en ging tegenover mij zitten. 'Cordon had dienst toen er via de politieradio een oproep binnenkwam. Twee straten verderop werd een overval gepleegd. Zijn partner was net uitgestapt om koffie te halen aan de overkant van de straat. Cordon wil zijn partner roepen en gooit in zijn zenuwen het portier open op hetzelfde moment dat er een fietser passeert. De vrouw knalt tegen het portier en vliegt over de kop. Ze is op slag dood. In die paar minuten was Cordons leven 180 graden gedraaid. Van veelbelovend agent met mooie toekomstperspectieven naar iemand met niks.'

'Wat idioot. Mijn moeder is op precies dezelfde manier om het leven gekomen, ook door iemand die zijn portier gewoon opengooide.'

'Dat weet ik.'

'Ik kan me voorstellen dat je als je een dodelijk ongeluk veroorzaakt door een hel gaat, maar dat van die demonen begrijp ik nog steeds niet. Het was een ongeluk.'

'De vrouw die bij het ongeluk om het leven kwam, was huisarts.'

Wacht eens even. Was Cordon degene die mijn moeder... Nee, dat was onmogelijk, Cordon was veel te jong. Bovendien was mij nooit verteld dat het een agent was die deze stommiteit had begaan. 'In Quisco is, onder zijn verantwoordelijkheid, iemand om het leven gekomen die dat ook was,' sprak Selma verder.

'Je begrijpt dat Cordon het er moeilijk mee heeft.'

Ik vond het nogal vergezocht. 'Als ik in zijn schoenen stond, zou ik me juist op deze zaak storten en alles op alles zetten om ervoor te zorgen dat de onderste steen bovenkomt. Ik ben van mening dat je met je demonen altijd de confrontatie moet aangaan, anders blijven ze je de rest van je leven achtervolgen.'

'Ga jij de confrontatie met ze aan?'

'Ik heb geen demonen.'

'Iedereen heeft demonen.'

'Ik niet, en als ik ze had, zou ik zeker met ze in gevecht gaan. Anders heb je geen leven.'

'Sommige mensen stellen dat uit omdat ze bang zijn juist dan geen leven meer te hebben.'

'Die houden zichzelf voor de gek.'

'Niet iedereen staat even sterk in zijn schoenen. Geef Cordon maar wat tijd. Dat doen wij ook.'

Ik begreep geen moer van deze mensen en dat zei ik ook.

'Waarom zou je ons moeten begrijpen? Wat interesseert het je eigenlijk?'

Omdat ik een boek over jullie aan het schrijven ben. Omdat ik het gevoel heb dat er iets sluimert, dat jullie een geheim met jullie meedragen en ik wil weten wat het is. Maar ik hield mijn mond. Mijn verhaal over Cordon was binnen. Ik had meer details nodig, maar die zou ik in de bewoonde wereld achterhalen. 'U heeft gelijk. Het gaat me natuurlijk niets aan.'

'Je zou toch een positief artikel over Quisco schrijven? Dat houdt in dat je Martha buiten beschouwing moet laten en onze verledens ook. Ik snap je nieuwsgierigheid, maar waarom vind je het zo belangrijk dat duidelijk wordt hoe Martha om het leven is gekomen?'

De vraag was eerder waarom zij het zo onbelangrijk vonden. 'Mijn journalistenbloed gaat ervan stromen.'

'Sla dan maar een paar dammetjes in je aderen, Evander. Want net als iedereen die niet in Quisco woont, heb je hier in feite niets te zoeken.'

'Wat jammer. Ik begon net het gevoel te krijgen dat jullie mij accepteerden. Ik was zelfs van plan me hier in te schrijven,' zei ik grappend.

Om een onverklaarbare reden keek ze opeens heel droevig. 'Inschrijven?'

'Ja, dat moet toch? Het stond in *Een geschiedenis van Quisco*.'

'Ik had je toch gezegd dat je dat niet meer moest lezen? Dat inschrijven is een fabeltje. Je wordt naar Quisco gehaald. Iedereen is hiernaartoe gehaald. Nou, ga je maar wat opfrissen dan kun je straks een lekkere biefstuk voor me bakken.' Terwijl ik de keuken uit liep, vroeg ze of ik Dorothea vandaag had gesproken.

'Hoezo?'

'Omdat Dorothea en Cordon niet op vriendschappelijke voet met elkaar staan en jij je afvroeg of Cordon de zaak saboteerde. Trouwens, heb je al met Rick Shade gepraat? Voor je artikel?'

'Ik was van plan morgen bij hem langs te gaan.'

'Vraag hem maar eens hoe hij over Martha denkt.'

'Hoezo?'

'Vraag het hem nou maar gewoon.'

Ik draaide de kraan open, plensde wat water in mijn gezicht en leunde met mijn handen op de wastafel. Het zat me dwars. Toen ik voorstelde me als toekomstige inwoner in te schrijven, had ik dat gekscherend bedoeld, maar uit Selma's reactie maakte ik op dat ik als inwoner geweigerd zou worden en dat schoot me in het verkeerde keelgat. Waarom zou ik me niet in Quisco kunnen vestigen? De mensen die ik tot nu toe had gesproken, hadden allemaal één ding gemeen: ze waren naar Quisco verhuisd omdat ze door hun ervaring getekend waren en ergens anders een nieuw leven wilden beginnen. Een vrij zinloos leven, dat wel, maar goed, ook een zinloos leven is er een. En ze mankeerden allemaal wel wat. Ik vormde daar geen uitzondering op. Ik was een man van zesentwintig die hoogstwaarschijnlijk geen baan had, zonder relatie zat en die zijn vader nauwelijks sprak. Ik was een incapabele werknemer, een waardeloze liefdespartner en een beroerde zoon. Net als de mensen in Quisco had ik in de buitenwereld niets meer te zoeken. Mij mankeerde van alles en zij wilden me niet?

Ik keek mezelf aan. De spiegel gaf geen mooi beeld. Ik zag er moe, roodverbrand en geïrriteerd uit. Ik leek op een strandgast die aan het einde van een zonnige dag aan zee was thuisgekomen en z'n draai niet kon vinden.

27

DE ACHTERKANT van mijn nek brandde en mijn gloeiende huid voelde onregelmatig aan. De vellen zouden er straks bij hangen en Selma's hoon zou mijn deel zijn.

Selma sliep blijkbaar nog want het was stil in huis. Ik liep de keuken in. Op de vensterbank boven het aanrecht stond een glazen pot met een wit goedje. Ik draaide de dop eraf en trok mijn neus op. Het rook naar zonnebrandcrème. Met enige aversie gleed ik met mijn vingers door de vette massa, kromde mijn nek en smeerde hem er voorzichtig mee in.

Vandaag hoopte ik Rick Shade te spreken. Ik zou hem vragen wat er vanaf Quisco's stichting in de loop der jaren was veranderd (weinig tot niets), wat zijn functie precies behelsde (weinig) en wat er in Quisco gedurende zijn ambtstermijn aan opzienbarends was gebeurd (niets). Vervolgens zou ik hem verleiden meer over Martha te vertellen, off the record uiteraard. Ik was benieuwd hoeveel ik los kon peuteren.

Ik dronk een glas water, schreef in de kantlijn van de krant van gisteren dat Selma niet op mij moest rekenen voor de lunch en vertrok.

Het plein was met dranghekken afgesloten. Ik parkeerde langs de kant van de weg en wurmde me tussen twee hekken door. Voor het beeld van Jeremiah bleef ik staan. Nu ik wist dat zijn lichaam erin zat, vond ik het luguber. Hoe ze het voor elkaar hadden gekregen, was een raadsel want toen ik eromheen liep zag ik geen scharnieren zitten. Ik stelde het me voor, het lichaam van Jeremiah, als een mummie in doeken gewikkeld en staande gehouden door een metalen staaf die langs zijn rug liep, terwijl de kunstenaar om hem heen zijn beeltenis opbouwde.

De kraampjes stonden al opgesteld. Thierry's vlaggenslingers hingen van de naambordjes die Jeremiah vasthield naar Eten & Drinken waar een ton op de stoep stond. Hij was in de lengte doormidden gezaagd en er zaten pootjes onder gesoldeerd. Vier grote zakken met steenkolen leunden ertegenaan. Meestal waren dit soort barbecues roestbakken, maar deze glom als een spiegel en zou morgen vol liggen met de vrolijk sissende burgers van Big John. Ik stak het plein over.

Er waren meer mensen die behoefte hadden aan een ontbijt. Ik keek om me heen, zoekend naar een vrije plek, toen ik bijna tegen Thierry aan botste die vijf borden met uitsmijters op zijn armen balanceerde. Hij wees me met een beweging van zijn hoofd op een lege kruk aan het einde van de bar. Toen ik ging zitten, knikten wat klanten mij vriendelijk toe en doken vervolgens weer achter hun *Quisco Nieuws*. Hoofdredacteur Alberto Meier, die vijf krukken verderop zijn eigen krant zat te lezen, had vandaag gekozen voor een paginagrote foto van Big John. Hij was gefotografeerd naast een gehaktmolen die aan zijn met bloed bevlekte hakblok bevestigd was en hij hield twee hamburgers omhoog die in zijn enorme handen op tartaartjes leken. Achter Big Johns rechterschouder was de deur van zijn vrieskast nog net zichtbaar. Daar lag Martha.

Ik vond het een confronterend beeld, zeker in contrast met het geroezemoes in de zaak, de geur van gebakken eieren en de gemoedelijke geluiden van bestek op serviesgoed. Natuurlijk, na iemands dood gaat het leven gewoon door, maar de onverschilligheid waarmee ze met Martha's overlijden omgingen, stuitte me tegen de borst. Omringd door huiselijkheid bedacht ik dat Josie die nooit meer zou kennen. Ze was een wees van negen jaar oud, en de manier waarop de inwoners over haar spraken, gaf mij weinig hoop dat ze in een warm nest terecht zou komen.

Terwijl ik zat te piekeren over Josies lot, werd ik alsmaar kwader. Moest je ze zien zitten, stelletje doellozen, met hun kop in een krant die geen nieuws bood. Ik onderdrukte de neiging op te staan en ze toe te spreken, hoe zij het zouden vinden om op te groeien in een omgeving waar niemand je wil hebben, hoe zij zich zouden voelen als hun moeder in een vrieskast bij de slager lag en een festiviteit gewoon doorgang vond terwijl hun moeder de dag ervoor dood gevonden was, of ze het…

'Hallo.' Ondanks de topdrukte zag Thierry er kalm en ontspannen uit. 'Zet eens een ander gezicht op, het is een prachtige dag vandaag.'

'Elke dag is hier prachtig.'

'Daar heb je gelijk in. Zeg, heb je het nieuws al gehoord? Over Martha? Ze is gisteravond bij Big John weggehaald.' Thierry wees met de achterkant van zijn potlood naar de foto op de voorpagina van de krant van mijn buurman. 'Werd onderhand tijd, vind je ook niet? Als het goed is ligt ze in het mortuarium van West.'

Ik had te snel geoordeeld. 'Dat is goed nieuws. Ik vond het allemaal belachelijk lang duren, en dat ze daar lag, bij de slager nota bene.'

'Nou, ben ik even blij dat we jou tevreden hebben kunnen stemmen, want daar gaat het ons natuurlijk om,' zei hij. 'Jou blij maken is ons doel. Uitsmijtertje kaas maar doen? Of heb je liever een pannenkoekje?'

Waarom deed hij zo? Had ik de indruk gewekt dat alles om mij draaide? Ik kon me niet herinneren dat ik me arrogant had opgesteld. Volgens mij gedroeg ik me keurig en liet ik iedereen in zijn waarde. Wat ik van ze dacht, was een tweede, maar dat kon Thierry niet weten. Ik baalde van de manier waarop hij reageerde, want naar mijn weten stonden we met elkaar op goede voet en ik had het idee dat we elkaar begrepen. Ik besloot te doen alsof ik zijn sarcastische opmerking niet had gehoord. 'Een uitsmijter graag. En een koffie.'

De uitsmijter smaakte me voortreffelijk en deze keer liet ik een normale fooi achter. Op weg naar buiten werd ik door diverse mensen begroet. Het gaf mij een prettig gevoel en dat was een slecht teken. Ik moest alert blijven, want op een plek waar regels en overzicht hoogtij vieren – de mens vindt het heerlijk om te weten wat hem te doen staat – ligt indoctrinatie op de loer. Ja. Ik moest afstand houden, want voor je het wist ging ik tijdens het schrijven rekening houden met hun situatie. Daar zou het boek niet beter van worden en ik dus ook niet.

28

H ET WOORD 'chagrijn' was uitgevonden voor de receptioniste. Lisette Macau – volgens het bordje op de balie – herkende ik als een van de klanten van Big John toen ik daar mijn biefstukken had gekocht. Het viel me toen al op dat haar gezicht door norsheid was dichtgeslibd. Haar ogen lagen zo diep in hun kassen dat ze twee vochtige stippen links en rechts van haar neus vormden. Toen ik haar liet weten dat ik de burgemeester wilde spreken, nam ik mijn kans waar. 'U heeft hier vast een lijst van de begraafplaats liggen.'

'Wat bedoelt u precies?'

'Het viel me op dat de zerken op het kerkhof...'

'Rustplaats...'

'... geen namen hebben, maar nummers. Ik neem aan dat die getallen corresponderen met de namen van de overledenen en vroeg me af of ik die lijst mag inzien.'

'Het dodenregister bedoelt u. Nee.'

Vaak zit er in een antwoord wat onderhandelingsruimte verscholen, maar zo klonk het deze keer niet. 'Ik ga ervan uit dat het dodenregister openbaar is?'

'Nee, hoor.'

'Waarom niet?'

'Omdat het niemand iets aangaat wie daar ligt.'

'Dat geldt zeker alleen voor niet-inwoners?'

Ze rolde met haar ogen. 'Natuurlijk geldt dat alleen voor niet-inwoners.'

'Dus als ik wil weten wie waar ligt, moet ik bij een nabestaande navragen wat het nummer van de steen is? Werkt het zo?'

'Ja en nee. Ja, omdat als het zo zou werken, u het inderdaad zo aan zou moeten pakken. Nee, omdat als onze inwoners in de buitenwereld nabestaanden hebben, die echt geen graf komen bezoeken.'

'Maar die mensen krijgen wel te weten onder welk nummer hun partner of familielid ligt?'

'Mag ik u vragen wat voor u de importantie is om te weten wie waar ligt? Welk belang gaat dat dienen?'

Ze had een punt. Als ik niet had gezien dat de doden op zo'n onpersoonlijke manier werden begraven, had het mijn aandacht niet eens getrokken. En inderdaad, wat zou ik er wijzer van worden? Maar het was mijn eer te na mij door een of andere baliemedewerkster met een kluitje in het riet te laten sturen, dus zei ik: 'Zoals u waarschijnlijk weet heeft uw burgemeester mij verzocht een artikel over Quisco te schrijven. Ik vond het een aardig idee daarin ook iets op te nemen over de voormalige inwoners.'

'Ik weet dat u een artikel gaat schrijven en ik vind uw idee helemaal niet aardig, maar als de burgemeester het wel een aardig idee vindt, kunt u het register wat mij betreft inzien. Met een briefje van de burgemeester. Met zijn handtekening eronder.'

'Daar ga ik dan voor zorgen.' De glimlach die op haar gezicht verscheen had ik er met liefde vanaf gemept. 'Waarom begraven jullie de doden als onbekende soldaten? Ze hebben toch een naam? Vanwaar die nummers?'

Ze gaf me een papiertje met een cijfer erop. 'Hier, geef ik u ook een nummer. Als ik het omroep, kunt u naar binnen.' Ze wees naar de rij lege stoelen in de wachtruimte en boog zich over de opengeslagen map die voor haar lag.

De muren van de wachtruimte hingen vol met groepsfoto's die tijdens de jaarmarkt waren genomen. Op elke afbeelding stond een groep mensen in dezelfde elftalpose, op precies dezelfde locatie als op de foto die ik eerder in de krant had gezien: pal voor het beeld van Jeremiah. Wel stond op elke foto een ander jaartal op het bord dat door de groepsleden werd vastgehouden. Het viel me op dat ze van slechte kwaliteit waren, alsof de fotograaf zijn toestel had bewogen terwijl hij de foto nam. Ik kon me niet herinneren dat dit met de foto die in *Quisco Nieuws* afgedrukt stond, ook zo was.

Met luide stem riep Lisette een nummer om. Uit automatisme keek ik of het het mijne was, verfrommelde hoofdschuddend het papiertje en liep naar de deur waar met koperen letters SHADE op stond.

Een burgemeester waardig was de enige juiste manier om Rick Shades werkkamer te omschrijven. Het was er donker. De muren waren bedekt met houten panelen en hingen vol met jachttrofeeën van dieren die naar mijn weten in de verste verte niet in de omgeving van Quisco voorkwamen. Rick Shade stond midden in de kamer op een blauwgroen hoogpolig tapijt waar zijn voeten in leken te verdwijnen. De ramen stonden tegen elkaar open en de tocht deed de polen van het tapijt zachtjes heen en weer bewegen.

'Meneer Clovis, entrez, entrez.' Leunend op zijn wandelstok hinkte Shade naar zijn bureau. Links en rechts ervan stond een manshoge vaas met droogbloemen. Het had er alle schijn van dat Shade alleen dode natuur om zich heen duldde. Met een kreun liet hij zich in zijn stoel zakken.

'Fijn dat u tijd heeft mij te woord te staan,' zei ik.

'Tuurlijk, tuurlijk. Het is uiteindelijk voor het goede doel, nietwaar?'

'Ik dacht dat u het misschien druk had met alles rond de vondst van mevrouw Mulder?'

'Daar hebben we een sheriff voor. En, hoe wil je het artikel gaan aanpakken?'

Ik vertelde hem dat ik het zou baseren op wat hij mij ging vertellen en de algemeenheden die in *Een geschiedenis van Quisco* stonden. Vervolgens zou ik het larderen met quotes van inwoners over hoe geweldig ze het in Quisco hadden, hoe perfect alles geregeld was en hoe hun dagen verliepen. De dodelijke saaiheid van hun bestaan zou er vanaf druipen.

'Het klinkt als een uitstekend plan, waar ik het volgende over wil opmerken. Ik was vergeten te zeggen dat het niet de bedoeling is dat u mijn mensen met naam en toenaam citeert.' Ik knikte instemmend. 'Mooi. Dat is dan duidelijk. Al met al ben ik blij dat u deze taak op u wilt nemen, meneer Clovis. Quisco is geen freakshow. Hun sensatiezucht mogen de media voortaan elders bevredigen.'

Ik keek naar Rick Shade, hoe hij daar zat in zijn smetteloze witte kostuum, met zijn vreemde, haast vloeibare gelaatstrekken omringd door dode natuur. 'Als jullie wat opener zouden zijn, zou dat...'

Hij leunde naar voren. 'Denkt u dat ze willen weten hoe wij werkelijk zijn? Welnee. Ze willen hun vooroordeel bevestigd zien. Daar houden mensen van, vinden ze prettig. Een vooroordeel vermindert hun angst voor het onbekende. Water?' Zonder mijn antwoord af te wachten, schonk hij twee glazen in en schoof er een mijn kant op. 'Het is aan u die vooroordelen weg te nemen.'

Ik keek naar zijn verheugde gezicht. De steek in mijn maag herkende ik als opspelend schuldgevoel. 'Ik kan u geen garantie bieden dat de publicatie dat zal bewerkstelligen. Daar is meer voor nodig. U moet het eerder zien als het begin naar meer openheid. Het gaat geen wonderen verrichten.'

'Ik vraag u geen garantie, dat zou bespottelijk zijn. Ik hoop dat het ons wat mediastilte geeft. In elk geval voor een paar jaar.'

'Tot er weer zoiets als met mevrouw Mulder gebeurt.'

'Er is niks met mevrouw Mulder gebeurd.'

'O? Mevrouw Mulder is, na dagen weg te zijn geweest, op een plek gevonden die eerder is doorzocht. En die vrouw is volgens u door een natuurlijke oorzaak om het leven gekomen?'

'Genoeg over de situatie met mevrouw Mulder, want daarvoor bent u hier niet. Ik stel voor dat we de autoriteiten hun werk laten doen en het onderzoek afwachten. Ik neem aan dat u vragen heeft in verband met het artikel?'

'Mag ik u wel vragen wat u van mevrouw Mulder vond? Als

persoon? Het is niet voor de krant bestemd. Ik ben gewoon benieuwd naar wat voor vrouw zij was.'

Shade keek me bedachtzaam aan. 'Hoe komt ze op u over?'

'Om eerlijk te zijn komt ze helemaal niet op mij over. Ze laten weinig over haar los.'

'Begrijpelijk,' zei Shade.

'Want?'

'Mevrouw Mulder leefde onder ons. Ze was aanwezig, maar daar was alles mee gezegd. Ze kon hier niet aarden, maar ze moest wel. Ze deed het voor Josie. Ze wist dat Josie het elders niet zou redden. Als het aan haar had gelegen, was ze allang vertrokken. Mevrouw Mulder hoorde hier niet. Ze paste niet in Quisco. Ze was een uitzondering.'

'Van Brent en Harald begreep ik al dat ze zich afvroeg of ze hier wel op haar plek zat, maar ze wilde dus daadwerkelijk weg?'

'Ze wilde meer dan wat wij haar konden bieden. Niemand wist wanneer ze zou vertrekken, maar dat het niet lang meer zou duren, stond vast. Het was best moeilijk voor ons. Er is nog nooit iemand uit Quisco weggegaan. Maar het was aan haar. We konden haar niet dwingen om te blijven.' Hij nam een slok water. 'Misschien begrijpt u nu waarom we er wat tijd overheen hebben laten gaan voor we besloten tot een zoekactie. Cordon is eerst bij iedereen langs geweest om te informeren of ze met iemand over haar vertrek had gesproken of dat iemand haar weg had zien gaan. Pas toen we wisten dat geen van beide het geval was, zijn we haar gaan zoeken. Zo, zullen we verdergaan? Ik neem aan dat u een fiks aantal vragen voor mij heeft.'

Ik wilde hem niet tegen de haren instrijken en sloeg mijn notitieblok open. 'Laten we het eerst over u hebben. Hoelang woont u al in Quisco?'

'Sinds mensenheugenis.'

Ik lachte. 'Hoe kwam u tot deze keuze?'

'Tja. Hoe komen mensen tot een keuze? Ik zocht een plek waar ik mezelf nuttig kon maken en kwam hier terecht.'

'Bent u getrouwd?'

'Niemand heeft hier een liefdesmetgezel. Wij hebben genoeg aan onszelf.'

'En mevrouw Mulder dan?'

'Zoals ik al zei: ze was een uitzondering. De meeste relaties zijn niet gebaseerd op liefde maar op een zakelijke transactie die beide partijen voorspoed brengt. In Quisco is er voor een dergelijke verbintenis geen noodzaak.'

Daar zat wat in. 'Heeft u ooit spijt van uw beslissing gehad?'

'Geen seconde. Ik ben natuurlijk verantwoordelijk voor het welzijn van mijn mensen, voor hun voortbestaan en de manier waarop ze hun dagen slijten, maar zoals je hebt gemerkt, kabbelt het leven in Quisco voort. Mijn werk is overzichtelijk. En het feit dat wij onafhankelijk zijn maakt het ook makkelijk natuurlijk. We hebben geen ander belang dan ons eigen belang.'

'Ja, van de vrouw van het tankstation had ik al begrepen dat jullie zelfvoorzienend zijn.'

'Sharon? U heeft haar gesproken?'

'Ik moest tanken.'

'Heeft ze u iets gegeven?'

Ik dacht aan Sharons advies maar schudde mijn hoofd. 'U kent haar?'

'Sharon is een van ons. U vraagt zich af waarom ze daar woont en niet in Quisco. Om als volwaardige gemeenschap te kunnen functioneren, heeft iedereen een specifieke taak toebedeeld gekregen. Ze doet haar werk uitmuntend.'

'Wat doet ze dan precies?'

'Ze houdt bij wie er naar Quisco komen. Maar niet iedereen stopt daar natuurlijk. Niet iedereen hoeft te tanken.'

'Aha, dus als ik haar niet was bevallen, had ze mij tegengehouden?' zei ik met een lachje.

Shade lachte niet met me mee. 'We moeten selectief zijn. Quisco is voor degenen die het waarderen, die hetgeen het te bieden heeft met overgave ontvangen. Mevrouw Mulder was een voorbeeld van iemand die we nooit hadden moeten toelaten.'

'Dan heeft Sharon dat verkeerd ingeschat, want ik heb er geen behoefte aan hier te aarden. Ik hoop niet dat ik u nu beledig, maar ik zou nooit in Quisco kunnen wonen.'

Rick Shade keek me glimlachend aan. 'Oké, genoeg hierover. Laten we ons gesprek vervolgen, dan kunt u aan de slag.'

Nadat ik een paar kantjes bruikbare notities had, namen we afscheid en met een voldaan gevoel trok ik de deur achter me dicht. Toen ik Lisette Macau passeerde, keek ze me met opgetrokken wenkbrauwen aan. Ik was vergeten Shade naar die permissie voor inzage in het dodenregister te vragen.

29

Ik viste de krant van de bodem van de afvalbak en keek naar de voorpagina. Op de foto in de wachtruimte waren de mensen op dezelfde groepsfoto haast onherkenbaar, maar op deze stonden ze er allemaal scherp op. Mijn oog viel op de vrouw die helemaal rechts stond en in mijn geheugen begon iets te bewegen, als een pasgeboren kalf dat zich uit zijn vlies probeert te scheuren. Ik keek nog eens goed naar haar gezicht en zag dat iemand met een zwarte pen een piepklein pijltje bij haar hoofd had gezet.

'Zoek je iets?' Selma stond achter me en keek me op een vreemde manier aan, alsof ze niet wist wie ze voor zich had. Ik hield de krant omhoog. 'Ziet u die vrouw rechts? Op de foto in het stadhuis staat ze er heel vaag op en kun je haar gelaatstrekken nauwelijks onderscheiden, maar op deze wel.'

'Dan zijn het vast verschillende foto's.'

'Het is exact dezelfde foto. Ik begrijp er niets van,' mompelde ik terwijl ik weer naar de pagina keek. Opeens wist ik wie ik voor me had en vloekte. Ik drukte mijn vinger op het gezicht van de vrouw. 'Weet u wie dit is?'

'Ja, nogal wiedes. Dat is Aimee. Waarom is het belangrijk?'

Ik kreeg het warm. 'Waarom het belangrijk is? Omdat er in Quisco een monster woont! Daarom is het belangrijk!'

'Zeg, doe eens rustig.'

'Rustig? Nu ik weet dat zij hier vrij rondloopt?'

'Je herkent haar.'

'Natuurlijk ken ik haar. Iedereen kent haar,' riep ik met overslaande stem.

'Wat doe je hysterisch, je lijkt je oma wel.'

'Sorry, maar mag ik even...'

'Om deze reden staan ze er in de wachtruimte onscherp op. Buitenstaanders die het stadhuis bezoeken zouden precies zo reageren als ze wisten dat Aimee bij ons heeft gewoond.'

Stomverbaasd bekeek ik de foto weer. Onbegrijpelijk dat ik haar niet meteen had herkend. Dat typerende kapsel met die veel te lange pony die haar ogen verborg en het haar dat vlak boven haar schouders omkrulde. 'Ik wil haar spreken. Waar is ze?' vroeg ik terwijl ik de voorpagina van de krant scheurde, opvouwde en in mijn zak stak.

'Vlakbij. Wat ben je met die foto van plan?'

'Woont ze in deze wijk?'

'Nee. In Justitia.'

'Wat is het huisnummer?'

'Ik weet het nummer van haar grafzerk niet uit mijn hoofd.'

'Ze is dus dood.'

'Nou, kom mee naar binnen. Wil je iets eten?'

'Nee, ik wil dat iemand mij uitlegt wat er aan de hand is. Het lijkt wel alsof iedereen in Quisco iets op zijn kerfstok heeft. Hoe zit dat eigenlijk met u? Heeft u ook iets op uw geweten?'

Ze kromp even ineen. Toen keek ze me woedend aan: 'Wie denk je wel dat je bent? Wij zijn je geen uitleg schuldig. Het is de bedoeling dat je een artikel over ons schrijft, gewoon een stuk over het dagelijks leven in Quisco, en niet dat jij je neus in onze verledens steekt.'

'Ik bepaal nog altijd zelf wat mijn bedoeling is.'

'Wie is daarbij gebaat? Vertel mij dat eens even.'

Ik. Ik was erbij gebaat. Ik had hun verledens nodig. Deze vondst was formidabel. Er was zelfs een kinderliedje over haar gemaakt. 'Kent u dit liedje?' vroeg ik en met een kinderlijk stemmetje begon ik te zingen.

Pas op, pas op of ze pakt je
Pas op, pas op of ze brandt je
Wees stil, wees stil want straks komt Aimee
Die steekt je aan en hup! Weg ermee!

Bij die laatste woorden gooide ik mijn armen omhoog, wiebelde met mijn vingers en keek Selma vrolijk aan tot ik zag dat ze haar handen over haar oren hield en haar ogen had dichtgeknepen. Ik pakte haar zachtjes bij haar bovenarmen. 'Gaat het? Sorry, ik...'

Ze rukte zich los. 'Jij weet niets. Niets!'

Ik keek haar na terwijl ze met snelle passen naar de voordeur liep en uit het zicht verdween. Zou Aimee Bader een vriendin van haar zijn geweest? Nee toch zeker?

Selma zat aan de keukentafel appels te schillen en keek niet op toen ik binnenkwam. Ik noemde haar naam maar ze bleef stug doorschillen. 'Sorry. Als ik had geweten dat u haar goed kende, had ik anders gereageerd. U kunt zich toch voorstellen dat ik schrok toen ik haar op de foto zag? Ze hoorde in de gevangenis thuis maar liep hier gewoon in alle vrijheid rond. Dat kan toch niet? Dat is strafbaar.'

Selma's mondhoeken stonden naar beneden en haar ogen waren roodomrand. 'Aimee was onschuldig.'

'Is dat aan u om te bepalen? Ze heeft vier kinderen vermoord! Vier!'

'Ze was onschuldig, zeg ik je.'

Hoofdschuddend keek ik haar aan. 'Wat is dit voor plek? Wat voor normen en waarden houden jullie erop na? Neerkijken op anderen en ondertussen houden jullie een voortvluchtige verborgen? Weet u wat? Ze heeft geluk dat ze dood is, anders had ik haar aangegeven.' Ik stampte de trap op en knalde mijn slaapkamerdeur dicht.

Ik was nog een kind toen haar zaak voor de rechter verscheen, en dat mens had mij nachtmerries bezorgd. Ik herinnerde me nog dat mijn ouders boven op het nieuws zaten toen het proces aan de gang was.

Aimee Bader was gouvernante. Haar opdrachtgevers, een echtpaar met vier kinderen, waren een weekend weg en zij zou voor de kinderen zorgen. 's Nachts brak er in het huis brand uit. De kinderen kwamen om in de vlammenzee. Uit het onderzoek bleek dat iemand benzine voor de slaapkamerdeuren van de kinderen had gegoten en de boel in brand had gestoken.

Alles wees erop dat Aimee de dader was. Een week eerder was ze gezien toen ze bij een benzinepomp een jerrycan stond te vullen. Aimee beweerde dat ze die benzine nodig had gehad voor de grasmaaimachine. Toen de brandweer arriveerde, zagen ze Aimee in de tuin naar het huis staan staren terwijl het in vlammen opging. Uit niets bleek dat ze zich moeite had getroost de kinderen te redden. Aimee werd veroordeeld. Nadat ze een halfjaar van haar straf had uitgezeten, ontdekte een bewaker op een ochtend dat ze niet meer in haar cel zat. Ze leek van de aardbodem verdwenen.

Inderdaad, dacht ik. Waar beter om naartoe te vluchten dan Quisco? Ze moesten hebben geweten wie ze was. Waarom hadden ze haar toegelaten? Of hadden ze geen idee gehad, en had Aimee later alles opgebiecht, toen ze door de inwoners geaccepteerd was en ze wist dat ze haar niet zouden uitleveren?

Ik hoorde Selma de trap op komen, schoof mijn manuscript onder mijn matras en legde de grove versie van het artikel voor me. Ze kwam binnen en ging op mijn bed zitten. 'Ik begrijp je reactie, maar je kent het hele verhaal niet. Niemand kent dat verhaal, alleen wij.'

'Jullie kennen het ook niet. Jullie geloven haar. Dat is iets anders.'

'Die theorie gaat net zo goed voor jou op. Misschien geloof jij haar ook als je me even aanhoort. Aimee had niets met die brand te maken. Ze was die bewuste avond bij een man die twee straten verderop woonde.'

'Had ze de kinderen alleen gelaten?'

'Ja.'

'Fijne oppas dan. Laat me raden: die man met wie ze was, was getrouwd dus hield ze het voor zich.'

'Fout. Die man was haar jongste broer.'

'Hij haar toch een alibi kunnen verschaffen?'

'Dat had gekund. Aimee had haar leven lang als een moeder voor haar broer gezorgd. Ze was veertien toen haar broer werd geboren en haar moeder overleed. Hij was in de problemen gekomen en er waren mensen naar hem op zoek. Hij was haar alibi maar kon niet voor haar getuigen omdat hij dan zou worden gevonden. Aimee besloot de rechtszaak in te gaan in de hoop dat ze in de tussentijd de dader zouden vinden en werd veroordeeld. Ze legde zich bij haar straf neer, want het vrat aan haar dat ze die kinderen alleen had gelaten. Als ze thuis was geweest, had zij ze misschien kunnen redden. Na een paar maanden drong het tot Aimee door dat ze de rest van haar leven opgesloten zou zitten voor iets wat ze niet had gedaan. Ze ontsnapte en kwam hierheen. Zo is het gegaan.'

'Ik neem aan dat haar criminele broertje iets met haar ontsnapping te maken had?'

'Nee, hij was geen crimineel en nee, daar hebben wij haar bij geholpen.'

Met open mond keek ik haar aan. Ze stond op en met een verdrietige blik in haar ogen zei ze: 'Soms zit de gevangenis in je hoofd, Evander. Denk daar maar eens over na.' Vijf minuten later zat ik nog steeds naar de deur te staren die achter haar was dichtgevallen.

○ ○ ○ ○ ○

De vriendschap tussen Jochem en mij kwam niet voort uit een wederzijdse genegenheid, maar uit onze gemeenschappelijke eenzaamheid. Dat is vaker zo bij vriendschappen en dat geeft niks, totdat het systeem uit evenwicht raakt. Het is wel de bedoeling allebei even eenzaam te blijven. Geeft een van de twee blijk van een aangename nieuwe kennismaking, of van enige vorm van blijdschap rond de aanwezigheid van een ander persoon, dan gaat het schuren. Ik weet waar dat toe kan leiden.

In ons geval was het niet zozeer dat Jochem al iemand anders had, maar hij was hard op weg. Zijn ouders waren gescheiden en Jochem had een stiefvader gekregen. De man was vlot, energiek, charmant en had zoveel hart voor de zaak, dat hij Jochem onder zijn vleugels nam en de jongen in een week tijd omtoverde van een niemand tot iemand met een persoonlijkheid. Dat is wat oprechte liefde met de mens kan doen.

Vroeg of laat zou Jochem mij laten vallen. Daar kon ik niet op wachten. Dat was onacceptabel.

○ ○ ○ ○ ○

30

Voor de derde keer liep ik over het kronkelige pad naar het huis van de Mulders. De tuin geurde sterker dan voorheen en het verergerde de hoofdpijn die ik op voelde komen nadat Selma mijn kamer had verlaten. Ik had keurig gedaan zoals ze mij had opgedragen en had nagedacht. Niet zozeer over de gevangenis die in je hoofd zit, maar over Quisco en haar inwoners. Het was me duidelijk geworden dat ik me op een plek bevond waar de outcasts zich hadden verzameld. Alles wat afgedankt was, zat hier. Zag het er daarom zo keurig uit, omdat iedereen van binnen totaal verrot was, op Josie na? Was zij de uitzondering en moest ze daarom onder escorte over straat?

Ik bonkte op de voordeur en even later hoorde ik het opzijschuiven van een grendel. Melissa hield haar vinger voor haar lippen en wees naar boven. Josie was haar middagslaapje aan het doen; of ik met Melissa buiten wilde wachten tot ze wakker werd, want ze nam aan dat ik voor een wandeling kwam?

'Is ze wel in orde?' vroeg ik. 'Ik vond dat ze er slecht uitzag en ze leek me wat koortsig.'

'Weet je zeker dat je het niet over jezelf hebt? Je ziet er ziek uit.'

'Ik heb me beter gevoeld. Volgens mij heb ik een zonnesteek opgelopen.'

'Loop maar mee naar achter, dan gaan we daar zitten. Josie zal zo wel wakker worden.'

Het verhoogde terras strekte zich uit over de breedte van de achtergevel en liep een paar meter de tuin in. Onder een immense parasol stond een schommelbank. Melissa ging zitten en klopte met haar hand op het kussen naast zich. Gehoorzaam nam ik plaats en bekeek het paradijs dat in al zijn pracht aan mijn voeten lag. De vredigheid ervan overviel me, maar tijd om er van te genieten was me niet gegund, want Melissa plantte haar voeten stevig op de grond, strekte haar benen en zette de bank in beweging. Als een kind hield ze haar benen gestrekt voor zich. Ze droeg sandalen, en ik zag dat haar ene voet een stukje kleiner was dan de andere.

'Het is net of alles nu meer in bloei staat dan toen ik hem voor het eerst zag,' zei ik en wees de tuin in. 'Al die struiken bijvoorbeeld, met die joekels van rozen erin? Die kan ik me helemaal niet herinneren.'

'Misschien zat je toen met je hoofd ergens anders.'

Ons gesprek kabbelde voort en we kwamen over de jaarmarkt te spreken. Ze vertelde dat het elk jaar weer een feest was, echt iets om naar uit te kijken. 'Jammer genoeg zorgt de dood van Martha voor veel onrust.'

Van onrust had ik weinig gemerkt en Melissa bracht het op een manier alsof ze vond dat Martha een ander moment had moeten uitkiezen om zich te laten vinden.

'Jij was haar assistente, begreep ik?'

'Ik had nogal wat kwaaltjes, en voor wat hoort wat in Quisco. Ik ontving de patiënten, maakte afspraken, dat soort dingen.'

'Kon je goed met haar overweg?'

'Ja, hoor.' Ze keerde zich van me af en staarde voor zich uit.

'Ik heb met de burgemeester afgesproken een positief stuk over Quisco te schrijven en dat ga ik ook doen. Het hele verhaal rond Martha komt er niet in voor.'

'Oké.' Melissa zette de schommel weer in beweging. 'Ze was een geweldige huisarts.'

'En een goede moeder?'

'Geen idee. Ik heb geen kinderen.'

'Je kunt zoiets toch wel inschatten? Je zorgt immers ook voor Josie. Ik neem aan dat ze jou om een bepaalde reden hebben gevraagd die taak op je te nemen.' Op hetzelfde moment zag ik het bewuste kind vanuit mijn ooghoek het terras op sluipen. Net als Melissa had gedaan, legde ze haar wijsvinger op haar lippen en ging op de rand van een bloembak zitten die schuin achter ons stond.

'Eerlijk gezegd was er niemand anders. Ik ken Josie vrij goed, beter dan wie dan ook in Quisco. Als je het hebt over moeilijk, nou, breek me de bek niet open over Josie.'

Ik was al geen fan van Melissa maar ik begon me nu danig aan haar te storen. Zij was iemand die te veel in je persoonlijke ruimte komt. Ook nu, ze zat net te dichtbij en elke keer als ik een centimeter bij haar vandaan schoof, schoof zij naar me toe. Haar eeltige elleboog prikte in mijn zij.

'We hebben geen idee wat we met haar aan moeten nu Martha er niet meer is,' verzuchtte ze. 'We hebben er een bespreking over gehad, maar niemand wil haar in huis nemen.' Ze begon te giechelen. 'Zou het iets voor jou zijn? Of hou je niet van kinderen?' Weer dat stomme gegiechel.

Mijn antipathie groeide met elk woord dat ze sprak, mede doordat het onderwerp van gesprek op gehoorsafstand zat. Waar ik Melissa eerst meelijwekkend vond, begon ik haar nu onsympathiek te vinden. Wat had Josie ook alweer gezegd? Dat Melissa maar al te goed wist hoe het voelt om gekleineerd te worden. Van zo iemand mocht je toch meer empathie verwachten. Ze stond op. 'Weet je wat, ik ga Josie wakker maken, anders doet ze vanavond geen oog dicht.'

'Die is al wakker,' zei ik en wees naar achteren.

Melissa keek achterom en werd rood. 'O, nou, heel goed. Ik haal wat limonade voor jullie.'

Terwijl ze weg stiefelde, plofte Josie naast me neer en zette met een stevige trap de schommel in werking. 'Aardige vrouw hè, Melissa? Ze zit ook altijd boordevol leuke verhalen.'

'Dat was vast onprettig om aan te moeten horen.'

'Ik weet het intussen wel.'

'Wat je laatst tegen haar zei, over dat kleineren en dat zij als geen ander moet weten hoe erg dat is en hoe dat voelt, wat bedoelde je daarmee?'

Ze haalde haar schouders op.

'Weet je dat niet meer? Je zei dat toen we...'

Josie maakte een wegwerpgebaar en zei met een zucht: 'Natuurlijk weet ik dat nog, maar ik heb geen zin om het over Melissa te hebben.'

'Waar wil je het dan over hebben?'

Ze keek achterom en sprong van de schommel. 'Kom mee!'

31

De kuststrook van het schiereiland bestond uit meters-hoge rotsen. Josie en ik stonden op de uiterste punt, op het topje van de uitgestoken vinger. Tientallen meters onder ons beukten de golven tegen de rotswanden, hun kracht zo groot dat ik spetters zeewater op mijn gezicht voelde. Hier geen lieflijke baaien en intieme zandstranden die alleen per boot bereikbaar waren en door het verborgene iets mysterieus kregen. Als die er wel waren geweest, was op deze locatie al eeuwen geleden een vestigingsplaats ontstaan die zou zijn uitgegroeid tot een levendige stad. Maar de natuur had anders besloten en had dit stuk land voor Jeremiah bewaard.

Staand op dat punt, hoog boven de golven van de zwarte zee die er stormachtig uitzag terwijl er geen zuchtje wind stond, kon ik me voorstellen dat Jeremiah ervan overtuigd was geraakt dat dit land hem toebehoorde en niemand anders het kon temmen. Uiteindelijk had het hem ook haar levensbron geschonken.

Mijn dieptevrees hield me in zijn greep. Voetje voor voetje schuifelde ik naar de rand tot ik naast Josie stond. Ik strekte zover als ik kon en keek naar het water diep onder mij. Toen hoorde ik gezang. Waar kwam dat vandaan? Eerst klonk het zachtjes maar het werd luider en luider tot het de golven overstemde. De stem was hoog en zuiver en had een klankkleur die ik nog nooit eerder had gehoord. Het kolkende water werkte als een magneet. Het zingen... het moest stoppen. Ik wankelde, werd de afgrond in gezogen. Inwendig vocht ik tegen de zuigende werking van de peilloze diepte, maar het trok me naar zich toe. Toen: de zachte druk van Josies hand op mijn rug en haar armen als een staalkabel om mijn middel. Veilig. Ze trok me naar achteren en met een laatste ruk leek ze me van de grond te tillen. Verdwaasd plofte ik neer en keek hijgend naar Josie, die hoofdschuddend voor mij stond.

'Niet meer zo dicht bij de rand gaan staan, Evander. Je had wel naar beneden kunnen vallen,' zei ze bestraffend. Ik had het benauwd en trok aan de hals van mijn shirt terwijl Josie naast mij ging zitten en over de zee uitkeek. 'Ik weet dat het verleidelijk is, maar het is niet de bedoeling dat je springt. Nu nog niet. We zijn nog niet klaar.'

Waar had ze het over? Ik sloot mijn ogen en haalde geconcentreerd adem. Twee seconden in, vier seconden uit, in, uit. Langzaam kwam ik tot bedaren. Angst voor dieptes, oké, maar dit leek meer op een paniekaanval. Als dit vaker gebeurde, moest ik me na laten kijken. Ik leunde met mijn polsen op mijn knieën en keek naar de zee waarop geen schip te bekennen was. Ze hadden er ook niks te zoeken en als ze te dicht langs het klif voeren, zouden ze tegen de rotswanden te pletter slaan. Een vuurtoren was geen overbodige luxe. 'Komen er weleens schepen voorbij?'

'Vroeger wel, maar sinds een groot aantal onder vallende rotsblokken werd verpletterd, staat deze kust bekend als levensgevaarlijk.'

In stilte keken we uit over de zee, zo donker dat ik me niet kon voorstellen dat er leven in mogelijk was.

'Evander?'

'Ja?'

'Als je weggaat, mag ik dan met je mee?'

Ik legde mijn hand op haar schouder. 'Josie, ik zou je graag meenemen, maar ik kan niet voor je zorgen. Ik heb geen verstand van kinderen. Ik zou niet weten hoe ik dat moet regelen.'

'Je hoeft niks te regelen. Ik kan toch gewoon bij je zijn.'

'Het spijt me heel erg. Je bent nog zo jong. Misschien later, als je wat ouder bent?'

Ze schudde mijn hand van zich af. 'Je hebt geen idee hoe het is om mij te zijn, hoe het is om in dit gat opgesloten te zitten. Dag in, dag uit dezelfde mensen, mensen die een hekel aan je hebben...'

Ik wist precies hoe dat was. 'Over een paar jaar kun je weg.'

'Over een jaar of tien, ja.'

'Luister, ik begrijp waar je moeite mee hebt. Aan de andere kant is het leven in Quisco overzichtelijk, de natuur is overweldigend, je hebt elke dag prachtig weer. Kortom: je woont in een paradijs. Geniet ervan zolang het kan.'

'Mij als een kind behandelen mag je aan anderen overlaten, Evander. En geloof je het zelf? Dit? Een paradijs? Wie zit je voor te liegen? Jezelf? Als dit het paradijs was, zou jij ook willen blijven, maar volgens mij is dat niet het geval.'

'Ik heb begrepen dat je moeder voor jou is gebleven. Zij wilde ook weg. Wist je dat?'

'Natuurlijk wist ik dat.'

'Jullie hadden samen kunnen vertrekken.'

'Ze zou mij nooit hebben meegenomen naar de buitenwereld. Ze zei dat ik een gevaar vormde.'

'Gevaar? Voor wie?'

Josie haalde haar schouders op. 'Mijn moeder begreep niets van mij. Weet je waarom?'

Ik schudde mijn hoofd.

'Omdat je als kind je ouders blij hoort te maken. Ik maakte haar helemaal niet blij. Ik maakte haar bang. Nogal een verantwoordelijkheid als je het mij vraagt, je ouders blij maken. Het probleem met ouders is dat wij hun blinde vlek zijn. Daar creëren ze monsters mee.'

'Vind jij jezelf een monster?'

Ze keek me lachend aan en spreidde haar armen. 'Kijk naar mij. Wat vind je ervan? Ben ik normaal?'

Nee. Niets aan haar was normaal. Ik merkte op dat ze er, vergeleken met gisteren, veel beter uitzag. Haar ogen stonden helder en waren minder roodomrand dan die van mij. Ook de koortsige blosjes op haar wangen waren verdwenen. Het middagslaapje had haar blijkbaar goed gedaan. 'Op welke manier heeft jouw moeder dat monster gecreëerd?'

'In het begin bedolf ze mij onder liefde. Mijn moeder zag overal gevaar in, echt overal. Buiten sowieso, maar ook in een spijker in de muur, een slecht geschuurde plank in de vloer. Alles was gevaar. Dat hield van de ene op de andere dag op. Toen zag ze me niet meer staan.'

'Gevangen in een kooi van liefde,' mompelde ik. Ik herinnerde mezelf als peuter, huilend op een Perzisch tapijt in een kamer zonder meubels. Het geluid van een sleutel die in het slot werd gedraaid. Voetstappen die zich verwijderden en de stilte die erop volgde. Ik zag mezelf als klein kind, leunend op de vensterbank terwijl ik naar een groep jongens keek die op straat aan het voetballen waren. En dan, achter mij, het geritsel van haar kleding, zacht als vloeipapier. Mijn moeder boog zich over me heen, schoof het raam dicht en liep zonder iets te zeggen de kamer uit. Ik zag mezelf als tienjarige op mijn bed zitten, gebogen over het dienblad met avondeten dat mijn vader naar boven had gebracht en zonder een woord te zeggen in mijn handen had gedrukt, een ritueel dat vlak na de dood van mijn moeder begonnen was. Ook in mijn tienerjaren bracht ik de meeste tijd alleen op mijn kamer door. 'Ik weet dat liefde als gevangenschap kan aanvoelen.'

'Noem het maar liefde, ik vind het ziek. Ook liefde heeft haar grenzen. Een overdosis heeft een verlammend effect op de geest, zo verlammend dat je niet eens kunt vluchten ook al heb je de mogelijkheid.' Ze tuurde uit over de zee, strekte haar arm en wees naar de horizon. 'Ik wil daarheen. Ik wil het onbekende meemaken. Zodra het zover is, probeer ik weg te komen. Fysiek zal ik niet worden tegengehouden.' Ze plantte haar handen met gespreide vingers tegen de zijkanten van haar hoofd. 'Dit hierbinnen vormt het probleem. Mijn behoefte om te vertrekken moet blijven. Voor je het weet leg je je erbij neer. Het gaat snel, hoor.'

'Als je het er wel best vindt, kun je gewoon in Quisco blijven.'

'Als het je eigen keuze is. Maar wanneer is iets je eigen keuze?' Ze wees naar achteren. 'Die mensen daar? Die zijn als de dood voor hun vrijheid. Hun zelfverkozen gevangenschap is een gewoonte. Maar de meeste mensen voelen zich prettig in hun gevangenschap. Ze beweren dat vrijheid het allerbelangrijkste is in het leven en dat ze daar constant naar streven. Ze geloven oprecht dat dat het geval is, zien de vrijheid als de weg naar het ultieme geluk. Pas als die uitweg er is, komen ze erachter dat vrijheid ze beangstigt. Weet je waar hun prioriteit ligt? Bij hun angst. Hun angst om hun leven te veranderen. Dus mijn vraag aan jou is: waar ligt jouw prioriteit?'

Ik moest het antwoord schuldig blijven. Ik had geen idee.

32

IK SLOEG *Een geschiedenis van Quisco* dicht en legde het op mijn nachtkastje. Selma had gelijk. Broddelwerkje was overdreven, maar de auteur had er een interpretatie op los gelaten die nogal afweek van de mijne. Zo deed hij voorkomen alsof in Quisco niemand ooit alleen kwam te staan, het een plek was waar mensen voor elkaar opkwamen, elkaar namen zoals ze waren en in vrede met elkaar leefden. Zijn analyse was in mijn ogen ver bezijden de waarheid. Ze brachten het subtiel, maar de mensen die ik had gesproken, vielen elkaar af tegenover mij, een volslagen vreemde. Ik kon me zelfs niet aan de indruk onttrekken dat ze er genoegen in schepten elkaar zwart te maken.

Ik vroeg me af hoeveel tijd die man in Quisco had doorgebracht. Een uur? Een dag? In elk geval te kort om te zien wat ik zag. Aan de andere kant hadden de inwoners zich tegenover hem waarschijnlijk niet zo opengesteld als tegenover mij, dus gaf ik de auteur wat respijt. En ik moest ook naar mezelf kijken. Ik logeerde nu een paar dagen bij Selma en had meer vragen dan antwoorden.

Het meest opzienbarende dat ik in *Een geschiedenis van Quisco* las, was dat niemand voor iets hoefde te betalen. Terug redenerend had ik inderdaad bij Eten & Drinken nooit iemand zien afrekenen, en de dames bij de slager hadden ook niet betaald. Voor de inwoners van Quisco was alles gratis, maar daar moest wel een product of een dienst tegenover staan. De ruilhandel binnen deze afhankelijkheidseconomie was niet aan strikte regels gebonden. Je gaf wat je kon geven, deed wat je kon doen. Sharon had het al gezegd: in Quisco hebben ze niemand nodig.

Het werd mij duidelijker waarom Jeremiahs hectaren zo snel volstroomden, zoals de auteur van het boekje liet weten. Ook begreep ik nu waarom niet iedereen werd toegelaten. Jeremiah was wijs genoeg om te beseffen dat de samenleving die hij voor ogen had alleen gedijde bij een uitgekiende bevolkingssamenstelling. Dat zorgde voor de instandhouding van de sociale cohesie, en droeg ertoe bij dat ambachten die in Quisco nodig waren om in het levensonderhoud te voorzien, aanwezig waren. Hoe Selma door de selectie was gekomen, was een raadsel, want ik had haar nog niet kunnen betrappen op een expertise waarmee ze in haar onderhoud kon voorzien.

Al met al vond ik het geniaal. Mensen konden in Quisco leven zonder zich zorgen te hoeven maken over hun primaire behoeften: eten, drinken en een dak boven het hoofd. Nu begreep ik ook waarom niemand ooit vertrok. Ze hadden het goed voor elkaar en in de buitenwereld waren ze sowieso uitgerangeerd. Ze hadden hun leven al geleden. Quisco was een eindpunt, geen nieuw begin. En dat was waarschijnlijk Martha's probleem geweest. Een leven leiden waarin je weet wat je te wachten staat, is een keuze die veel mensen maken. Martha wilde waarschijnlijk meer dan dat, wilde niet in een eindpunt wonen maar een vooruitzicht hebben. Waarom gunde ze zo'n leven Josie dan niet?

Zuchtend draaide ik me op mijn zij. Ik had tegenover mezelf nogal hoog van de toren geblazen over mijn boek. Nu sloeg mijn twijfel toe. Zou het me lukken Quisco goed neer te zetten? En zou er iemand geïnteresseerd zijn in de perikelen binnen deze kleine gemeenschap? Maar ik vroeg me ook iets anders af. Het boek publiceren betekende een grove schending van het vertrouwen van de inwoners. Kon ik ze dat wel aandoen? Kon ik mezelf dat aandoen?

Ik keek naar het dessin op het behang; een zichzelf repeterend jachttafereel van drie paarden met in rode jassen geklede ruiters. De achterste ruiter blies op een hoorn. Voor de hoeven van het voorste paard rende een vos die angstig achteromkeek. Was dat Martha overkomen? In deze volmaakte samenleving was iemand om het leven gebracht en als inwoner zou ik van slag zijn, op zijn minst door de brute en hardhandige verstoring van de idylle. Misschien reageerde niemand geschokt omdat het anders in elkaar zat en Martha degene was die met al haar twijfels de idylle verstoorde. Omdat ze zich dingen was gaan afvragen over Quisco. Net als Josie en ik.

Het drong tot me door dat ik tot nu toe zo gefixeerd was geweest op het vergaren van informatie, dat ik niet over mijn eigen veiligheid had nagedacht. Ze hadden mij veel verteld. Wat als ze mij iets wilden aandoen? Of werd ik paranoïde? Ik liet me terugzakken en probeerde mijn cirkelredeneringen te doorbreken, maar er was geen Jeremiah met verwijsbordjes die mij op deze rotonde bijstond.

33

HILDE ZAG er mooi uit. Haar huid had een goudkleurige glans en de sproeten op haar gezicht leken ontembaarder dan toen ik haar voor het eerst zag. Haar voeten – ze had opvallend mooie voeten met aflopende tenen en ongelakte teennagels – waren gestoken in teenslippers. Om haar heupen hing een riem met zilveren schakels die rinkelden toen ze voor mij uit haar woonkamer in liep. De muren hadden de kleur van een tropische zee en in plaats van meubels lag de vloer bezaaid met kussens. Hilde koos er een uit van schapenvacht, en zeeg elegant neer.

'Wat leuk dat je bent gekomen. Ga zitten.'

Gehoorzaam liet ik me op een monsterlijk geval van zandkleurig vilt zakken en kruiste mijn benen. Toen ze me een glas water aanreikte, merkte ik dat mijn arm licht trilde. Ik pakte het glas met mijn andere hand aan.

'En, lukt het een beetje, met je artikel?'

'Het vordert.'

Ze keek me treurig aan: 'Bevalt het je? In ons paradijs zonder toekomst?'

Verbouwereerd keek ik naar haar terwijl ze een slok water nam en haar mond afveegde. De zon scheen door de kanten lappen die als afgedankte bruidssluiers voor de ramen hingen en een grillig schaduwbehang veroorzaakten. Wat een treurnis. Had Jeremiah daarom een eind aan zijn leven gemaakt? Had hij de hoop op een betere wereld opgegeven omdat het voor de mens onmogelijk is zijn ontevredenheid de kop in te drukken, zelfs in een omgeving waar niets te wensen valt?

Ze knikte me toe. 'Je hebt gelijk. Ik heb alles wat mijn hartje begeert en zou daar dankbaar voor moeten zijn. Sorry.'

'Je hoeft mij geen excuses aan te bieden. Ik kan me wel voorstellen dat het je soms naar de keel grijpt, het wonen in zo'n kleine gemeenschap.'

'Quisco lijkt kleiner dan het in werkelijkheid is.'

'Wat bedoel je?'

'Het gaat er niet om waar je woont, maar wat er in je hoofd zit. Die wereld kun je net zo groot of klein maken als je zelf wilt.'

'Ik bedoelde het letterlijk. Iedereen kent elkaar en ik kon de plattegrond na een paar dagen al tekenen.'

'Het is juist de bekende weg die onbekende zaken herbergt.'

'Voor iemand die blind is wel, ja.'

Ze grinnikte. 'Het hangt ervan af hoe je ernaar kijkt. Ik zal je een voorbeeld geven. Neem Josie. Als jij naar haar kijkt, wat zie je dan?'

'Ik zie een eenzaam meisje dat veel te wijs is voor haar leeftijd waardoor ze meer weet en ziet dan goed voor haar is. Ze raakt ervan in de war. Ook voelt ze zich opgesloten. Aan de ene kant wil ze weg, aan de andere kant vindt ze weggaan uit deze bekende omgeving beangstigend.' Terwijl ik sprak, knikte Hilde mij bemoedigend toe. 'Ik zie een kind dat zo beschermd is opgevoed dat ze de illusie heeft dat de wereld om haar draait. Ze is gewend dat mensen naar haar pijpen dansen omdat ze in een uitzonderlijke positie verkeert. Ze heeft geen empathisch vermogen ontwikkeld, waardoor ze mensen van zich vervreemdt. Ik zie een kind dat hunkert naar liefde maar geen idee heeft hoe ze dic moet geven.' Weer klonk ik alsof ik de baard in de keel had en ik schraapte mijn keel.

'Mooi geformuleerd.'

'En jij? Wat zie jij?'

'Ik zie wat ik herken, net als jij nu. Je analyse is gekleurd.'

'Ik heb erover nagedacht.'

'Ik bedoel dat hij grotendeels is gebaseerd op hoe jij je zelf ooit hebt gevoeld. Daarom herken je het als dusdanig.'

'Het heeft ook met menselijk inzicht te maken.'

'Denk je nou echt te weten hoe Josie in elkaar zit, of wil je het graag zo zien omdat je haar wilt begrijpen?'

'Wat zie jij dan?'

'Ik zie een verschoppeling...'

'Met dank aan jullie...'

'... omdat ze er anders uitziet maar ook omdat ze geen enkele toenadering tot mensen zoekt. Ik zie iemand die extreem veel woede bij zich draagt, iemand met een naar binnen gekeerde haat die zich alsmaar opstapelt, tot ze het niet meer binnen kan houden en het tot een uitbarsting komt. Iemand die een gevaar voor anderen kan vormen.'

'Nu overdrijf je.'

'Ik doe hetzelfde als wat jij net deed.'

'Dus de haat waar je het over hebt, die zich opstapelt, die zit in jou?'

'Zat. Wat ik bedoel te zeggen is dat de waarheid is wat jij ervan maakt.' Ze stond op en streek haar rok glad. 'Kom. Laten we stoppen met dit zwaarmoedige gesprek. De jaarmarkt is begonnen. Het is een feestdag. Ga je mee?'

34

Ik liet Hilde achter bij het kraampje van Dorothea. De bries voelde aan als een föhn op de hoogste stand. Het geluid van Thierry's wapperende vlaggetjes was geruststellend. Het bracht mij terug naar de jachthaven waar de boot van mijn ouders lag en waar ze mij als kind mee naartoe namen. Ik krijste van angst toen mijn moeder mij in de boot zette. Terwijl we wegvoeren hield ze me zo stevig vast dat het zeer deed. 'Je moet erdoorheen, je moet erdoorheen,' fluisterde ze in mijn oor. Ik schopte en sloeg en gilde, net zo lang tot we weer aan wal waren waar het veilig was en waar ik de vlaggetjes kon horen. Ik zag hun gezichten weer voor me, hun wanhoop en spijt dat ze mij op de wereld hadden gezet. Mij hielden ze niet voor de gek.

Ik hoorde Selma roepen en mijn ogen dwaalden over het terrein. Ze had zich met een stoel en een tafeltje naast het beeld van Jeremiah gepositioneerd. Toen ik dichterbij kwam, zag ik op het tafeltje een schaar, een kam en een handspiegel liggen. Op de grond stond een plantenspuit in de vorm van een eend.

'Bent u kapster?'

Ze plantte haar handen op de rugleuning van de stoel. 'Ga zitten. Hoeveel moet eraf?' Er moest helemaal niets af. Ik droeg mijn haar halflang en wilde dat zo houden. Ze wees naar de zitting en trok me aan mijn arm naar beneden. 'Zit. Er moet een model in. Hup, hup.'

Met mijn duim en wijsvinger gaf ik een halve centimeter aan. 'Een klein stukje,' zei ik voor de zekerheid. Uit ervaring wist ik dat kappers zich weinig aantrekken van de uniforme afspraken over meetsystemen. Ik wees naar de jampot die op het tafeltje stond en waar, ondanks een grondige wasbeurt, nog stukjes van het etiket op zaten. Op het bordje dat ertegenaan leunde, stond in een keurig handschrift: *Deponeer hier uw bijdrage.* Er zat een opgevouwen stukje papier in.

'Wat is dat?'

'De schuldbekentenis van mijn eerste klant.'

'Ah. U bent niet alleen kapper maar neemt mensen ook de biecht af?'

Er verscheen een glimlach op haar gezicht. 'Biechten helpt ons niet meer, Evander. Nee, dat zijn de ruildiensten.'

'Ach ja, natuurlijk. Ik voelde me eerlijk gezegd wat verbolgen toen ik erachter kwam dat ik de enige ben in Quisco die moet betalen.'

'Dat komt omdat je ons niets te bieden hebt,' zei ze en trok de koordjes van het kappershemd zo strak aan dat mijn nekvel bekneld raakte. Ik slaakte een kreet en stak mijn vinger ertussen. Nadat ze twee haren uit mijn hoofd had gerukt om mij te laten zien dat ik grijs werd, strikte ze het opnieuw, deze keer wat losser. 'Vind je het geen goed systeem?'

'Ik vind het een geweldig systeem. Ik vraag me alleen af of het werkt, of iedereen wel tevreden is met een ruil, of het altijd in verhouding is, bedoel ik. Hoe meet je zoiets?'

'Een manier van leven is onmeetbaar. Voor een buitenstaander ziet het er in Quisco welvarend uit, maar niet iedereen heeft geld.'

'Ik ben nog geen verwaarloosd huis tegengekomen.'

'Dat is dankzij de gemeentekas,' zei ze en begon mijn haar met de plantenspuit te besproeien. 'Er zijn nou eenmaal dingen die wij moeten aanschaffen. Verf bijvoorbeeld, of autobanden en dat soort zaken. Mensen die in Quisco komen wonen, storten hun vermogen in de gemeentekas. Daar worden onze gemeenschappelijke behoeften uit bekostigd.'

Voor mijn ogen dwarrelden de haarplukken in veel te grote hoeveelheden op de grond. Na een halfuur was ze nog steeds bezig en ik begon in paniek te raken. Ik wilde Selma vragen hoelang het nog ging duren, toen ze 'Oeps' zei.

'Wat?'

'Hierachter, volgens mij heb ik daar net iets te veel vanaf gehaald.'

Mijn hand gleed over mijn kale nek en langs de achterkant van mijn hoofd naar boven. Iets te veel? Ze had me gekortwiekt. 'Heeft u een spiegel?' vroeg ik zo kalm als ik kon. Verdomme. Mijn haar.

Ik keek in de handspiegel die ze voor me omhooghield. De man die terugkeek leek op een marinier. Een lange lok viel iets over mijn ogen. Ze had mijn haren in een model geknipt dat al decennia uit de tijd was. Godsamme. Ik zag eruit als iemand uit een geschiedenisboek.

'En?' vroeg ze.

Ik draaide met mijn hoofd van links naar rechts. Er was iets mee. Ik herkende dit kapsel van vroeger. Ze had mij op dezelfde manier geknipt als mijn moeder altijd deed. Ik wist niet zo goed wat ik ervan moest denken, maar het misstond niet. Ik zag er jaren jonger uit. En de manier waarop ze het had geknipt was vakwerk. Zo leek het boven mijn oren opgeschoren, maar ze had alles met de hand gedaan. Ik liet de spiegel zakken en keek naar Selma, die handenwringend tegenover me stond. Het was voor het eerst dat ik haar onzeker zag. 'Selma?'

'Ja?'

'Weet u wat...'

'Nou?'

'Ik vind het heel erg mooi.' Ze klapte in haar handen en lachte haar tandjes bloot. 'U heeft uw roeping gemist. Het is hartstikke goed geknipt. Weet u wie hier zit?'

'Nou?'

'Een tevreden klant.' Ik voelde de wind in mijn nek en rond mijn hoofd. Mijn gezicht verkoelde en voor het eerst sinds ik hier was, voelde de temperatuur aangenaam aan.

'Dank je wel.' Haar ogen straalden. Ik leunde voorover en pakte haar bovenarmen om een knuffel te geven. Ze verstijfde en ik voelde dat ze mij van zich af wilde duwen. Als een onwillig diertje trok ik haar naar me toe en drukte een kus op haar wang. Soms moet je de verstijving die bij mensen optreedt bij lichamelijk contact met enige kracht doorbreken, anders kwam je nooit nader tot elkaar. Warmte ontvangen is voor velen moeilijker dan warmte geven en Selma blonk in beide niet bepaald uit.

Ik pakte de pen en een van de blanco papiertjes die naast de jampot lagen. 'Wat kan ik voor u betekenen?'

'Geef ons je vertrouwen,' zei ze. 'Als het niet meteen lukt, begrijpen we dat. Vertrouwen is moeilijk, maar geef het ons bij voorbaat. Als blijk van waardering voor wat we voor je gaan betekenen.'

Waar had ze het over? Wist ze van mijn boek? Ze stond me bemoedigend toe te knikken dus schreef ik op dat ik mijn vertrouwen gaf en liet haar mijn woorden zien. Weer knikte ze en ik stopte het bij de andere schuldbekentenis.

'Ik ga iedereen aanraden bij u langs te komen. U heeft een wonder verricht.'

'Dat vind ik hartstikke lief van je, maar ze komen allemaal al. Ik ben de enige die kan knippen. Zie ik je zo thuis, voor de lunch?'

'Eh...'

'Ik wil dat je iets warms in je buik hebt voordat je gaat feestvieren.'

Schattig. Alsof het hier los zou gaan. 'Prima,' zei ik. 'Tot straks dan maar.'

Er was iets met me gebeurd. Mijn tred was soepeler en ik voelde me verlicht, alsof ik helderder kon denken. Het was een vreemde gewaarwording.

Met een verende pas liep ik naar het stalletje van Brent en Harald. Brent wees naar mijn hoofd. 'Selma zeker? Die kan er wat van.'

'Laten jullie je ook door haar knippen?' vroeg ik terwijl ik de boeken bekeek die ze in keurig uitgelijnde rijen in hun kraampje hadden uitgestald. Links stond eenzelfde jampot als bij Selma. Er zaten een stuk of vijf briefjes in.

'Nee, wij knippen elkaar altijd. En, zit er iets voor je tussen?' vroeg Harald. 'Deze komen uit de bibliotheek maar zijn overtallig en mogen weg. Eens per jaar houden we grote schoonmaak.'

'Even kijken,' zei ik en pakte een boek op. *Ontoerekeningsvatbaarheid in maatschappelijk verband.* Ik draaide het om. Een man van een jaar of vijftig met veel titels voor zijn naam keek mij ernstig aan. De flaptekst bevatte steekwoorden als 'doorslaggevend onderzoek', 'baanbrekend werk' en 'nieuwe inzichten'. Ik hield het omhoog. 'Is dit wat?'

De broers wisselden traditiegetrouw een blik uit – ik was er nog steeds niet achter of het er een was van verstandhouding of leedvermaak. 'Het hangt ervan af waar je interessegebied ligt,' zei Harald. 'Volgens mij hebben wij iets beters voor je. Wacht even. Brent?'

Brent draaide zich om, rommelde wat in een doos en overhandigde mij twee tijdschriften. 'Voor je broodnodige ontspanning. Interesse?'

Ik pakte de tijdschriften aan die uit de tijd stamden dat ik nog met autootjes speelde. Het was een sympathieke geste en ik wilde ze niet schofferen door ze te weigeren. 'Zeker,' zei ik enthousiast.

Ze giechelden op een onprettige manier. Die twee wisten dat ik langs zou komen en de tijdschriften zou accepteren. 'Aardig dat jullie aan mij hebben gedacht. Wat willen jullie ervoor hebben?'

Ze staken hun handen uit en maakten wuivende gebaren. 'Zodra je ze uit hebt, breng je ze terug,' zei Brent. 'En je mag Josie bedanken. Zij opperde dat ze misschien iets voor jou zouden zijn. Ze kwam net langs met de boeken en tijdschriften die Martha allang had moeten retourneren. Deze zaten erbij.'

In het kader van de festiviteiten was een terras op het plein uitgezet. Het meubilair blonk en de vouwen zaten nog in de parasols die boven de zitjes waren uitgeklapt.

Ik ging zitten en nam het schouwspel in me op. Nergens ter wereld gaat het er vriendelijker en gemoedelijker aan toe dan op een jaarmarkt. Waarschijnlijk had ik er daarom een hekel aan. Dergelijke uitingen van feestvreugde waren in mijn ogen tijdelijke oprispingen van gemeenschappelijke sympathie. Schijnvertoningen. Ik kon ervan uitgaan dat alle inwoners van het stadje zich op het plein hadden verzameld. Toch voelde het leeg. Ik miste iets essentieels. Kwam het omdat er geen kinderen waren? Een jaarmarkt zonder het hoge, snerpende gegil van kinderlijke spanning en zonder hun schelle en vreugdevolle gelach, was natuurlijk geen jaarmarkt. Er hing een doodse sfeer, een soort vlakheid. Het was een festiviteit zonder hartslag. Natuurlijk zag ik vrolijke gezichten, maar iedereen had zichzelf onder controle en ze handelden zoals mensen altijd in het openbaar doen als er geen drank in het spel is.

Over drank gesproken, waar was die eigenlijk? Ik had nergens alcohol gezien. Selma bood het niet aan en nu ik erover nadacht stond bij Eten & Drinken ook geen alcohol op de kaart. Op de stang van de parasol was een menukaart geplakt. Ik bekeek het aanbod nauwkeurig. Geen alcoholische versnaperingen. Waarom niet? Was dat een van de regels? Drank maakt natuurlijk veel in een mens los, zaken waar je als kleine gemeenschap niet op zit te wachten. Ik moest glimlachen. Zat ik zonder dat ik het wist, al die tijd in een ontwenningskamp voor alcoholisten. Het mysterie van Quisco was ontrafeld. Case closed.

35

'W̲ᴀᴛ ʟᴇᴇꜱ je?'
De gaatjes in Josies zonnehoed veroorzaakten een spik-
kelpatroon op haar gelaat, alsof haar gezicht door sterren werd
verlicht. Ik wuifde naar Melissa, die op een paar meter afstand
naar ons stond te kijken. Ze zwaaide slapjes terug.

'Nog niks,' zei ik en hield de tijdschriften omhoog. 'Bedankt
trouwens. Van Brent en Harald begreep ik dat je alles wat je moeder had geleend hebt teruggebracht.'

Josie ging zitten en begon met haar benen te wiebelen. 'Melissa
en ik zijn het huis aan het opruimen.'

'Ik kan me voorstellen dat je uitkijkt naar de afronding van het
onderzoek zodat je alles kunt afsluiten.'

'Ik heb het allang afgesloten. Dat weet je toch?' Ze keek me
op een onprettige manier aan. Ze gaf mij het gevoel alsof ze in
mijn hersenen zat te wroeten als een vrouw op zoek naar haar
sleutels in een bomvolle handtas. Ik wendde mijn ogen af en ze
zei: 'Ik beschik niet over de gevoelens en behoeftes die andere

mensen hebben. Dat zou je inmiddels moeten weten.'

'Het spijt me als ik je beledigd heb door je als mens te benaderen,' zei ik pissig.

'Ik ga je niet tegemoetkomen door me anders voor te doen. Jou niet en de rest ook niet.'

'Als we allemaal onszelf zijn, is de wereld onleefbaar.'

'Denk je dat ze vriendelijker tegen mij zouden zijn als ik mezelf niet was?'

'Je kunt het jezelf makkelijker maken door een andere houding aan te nemen.'

Ze greep haar stoelleuningen beet en begon met haar benen te schoppen. 'Waar haal jij het idee vandaan dat je mij kunt vertellen hoe ik me moet opstellen?'

Ik maakte een afwerend gebaar. 'Ik heb het gevoel dat mensen bang voor je zijn. Dat is alles.'

'Ik heb het je zelf verteld dus doe niet alsof dit nieuw voor mij is. En bang zijn voor een kind van negen? Vind je dat normaal?'

Ik keek haar doordringend aan. 'Josie, zeg eens eerlijk. Is hun angst ergens op gebaseerd?'

Ze hief haar handen op. 'Kijk naar mij, Evander. Wat zou dit lieve zwakke poppetje van een meisje iemand aan kunnen doen?'

En ik keek naar haar. En ik zag het glimlachje om haar mond. En ik zag haar triomfantelijke spottende blik. En ik wist dat de mensen gelijk hadden, dat ze wel degelijk iets te vrezen hadden van Josie Mulder. En ik wist ook dat ik mezelf niet uit moest sluiten. 'Met jouw intelligentie hoef je niet groot en sterk te zijn om iemand iets aan te doen.'

'Helaas heb ik deze mensen nodig omdat ik hier de rest van

mijn leven moet doorbrengen. Zeker nu ik niet met jou mee mag.'

Ah, daarom was ze zo recalcitrant. Ik kreeg spijt van mijn harde opstelling en de onzinnige gedachte dat Josie een gevaar voor haar omgeving vormde. Ik legde mijn hand op haar arm. Er kwam geen lichaamswarmte door de stof heen en ik voelde geen spiersamentrekking. Ik voelde niets. 'Josie, je weet dat je mij alles kunt vertellen, hè? Nu ik er ben, hoef je je niet meer alleen te voelen.'

Ze keek naar mijn hand alsof het een smerig insect was en toen naar mij. Haar ogen waren uitdrukkingsloos, alsof met het pigment elk gevoel eruit was getrokken. 'Ja, dat weet ik. Nou, het was weer aangenaam je te spreken,' zei ze en wees naar de tijdschriften die voor mij op tafel lagen. 'Doe er je voordeel mee.'

Terwijl ze wegliep drukte ze met twee handen haar hoed op haar hoofd. Haar vlechten zwiepten heen en weer. Doe er je voordeel mee? Wat bedoelde ze?

Ze bleef plotseling staan, wees naar het standbeeld van Jeremiah en zei: 'Is het je al opgevallen dat alle straten in de wijken van Quisco doodlopen?'

Ik keek naar het beeld en vroeg haar wat ze daarmee wilde zeggen. Ik kreeg geen antwoord. Ze was weg. Weer bekeek ik het standbeeld en de naambordjes met daarop de vier kardinale deugden. Bedoelde ze dat menselijke deugden uiteindelijk nergens toe leiden, in elk geval niet tot een betere wereld? Dat deugden doodlopen op goede bedoelingen, zoals die van Jeremiah?

'Zo, alles goed met u?' Ik keek opzij, recht in de zonnebril van de sheriff waarin ik mezelf met mijn nieuwe kapsel als een vreemde weerspiegeld zag. 'Ik zie dat Selma u flink onder handen heeft genomen.'

Cordon sloeg mijn aanbod om te gaan zitten af en bleef kauwend op zijn tandenstoker op mij neerkijken. De vouwen zaten nog in de mouwen van zijn overhemd en hij rook naar deodorant.

'En? Hoe vordert het onderzoek?' vroeg ik. 'Enig idee wanneer de resultaten van de sectie binnenkomen?'

'Waarom wilt u dat weten?'

'Nou, ik sprak Josie net, en...'

'Wat is er met Josie?'

'Ze is vreselijk verdrietig natuurlijk.'

Hij trok zijn wenkbrauwen hoog op. 'Een vreselijk verdrietige Josie is een contradictio in terminis.'

'U vergist zich.'

Hij prikte met zijn tandenstoker in mijn richting. 'U kent haar beter dan iemand die haar heeft zien opgroeien?'

'Ik heb haar regelmatig gesproken.'

'Bij Josie zegt dat niks.'

'Heeft u ooit een echt gesprek met haar gehad?'

Ik zag dat hij twijfelde. 'Natuurlijk,' zei hij toen.

'Ze is de spullen van haar moeder aan het uitzoeken, een emotioneel moment zoals u zich kunt voorstellen. Ze liet zich ontvallen dat het haar enorm zou opluchten als ze wist wat er met haar moeder gebeurd is, zodat ze het allemaal kan afsluiten.'

Hij begon te lachen. 'Zei ze dat? Dat ze het wil afsluiten? Ik geloof er niets van. Sorry, ik zou graag met u verder willen babbelen, maar ik moet aan de slag. Ik heb beloofd mee te helpen met de barbecue,' zei hij en wees naar Eten & Drinken. Toen hij aanstalten maakte om door te lopen, greep ik hem bij zijn arm.

'U bent het toch met me eens dat het wat lang duurt? Ik ga ervan uit dat het lichaam van mevrouw Mulder intussen is onderzocht en u op de hoogte bent gesteld van de bevindingen.'

'Mevrouw Mulder is in West. Het onderzoek valt buiten mijn jurisdictie.'

'Volgens mij is er meer dat buiten uw jurisdictie valt, sheriff.'

'Waar doelt u op?'

'Ik meen dat het zelfs buiten uw jurisdictie valt om dit onderzoek te leiden.'

'Hoe komt u daarbij?'

'En het lijkt er verdomd veel op dat u het onderzoek saboteert omdat de kans groot is dat een van de inwoners de dader is. Waar is uw rechtvaardigheidsgevoel?' Ik wees naar het beeld van Jeremiah. 'Die deugden, waar zijn ze?'

Hij glimlachte. 'U had geen journalist moeten worden. Uw fantasie is te groot voor iemand die moet luisteren en feitelijke weergaves op papier moet zetten.'

'Zelfs als het om een strafzaak gaat, een moord nota bene, denken jullie je eigen regels te kunnen hanteren? Het zal u wellicht verbazen, sheriff, maar de wereld is groter dan Quisco. Veel groter. En die wereld zal de manier waarop dit onderzoek wordt uitgevoerd, onacceptabel vinden.' Cordon keek naar de ingang van Eten & Drinken in de hoop dat ik de hint zou oppakken en de beleefdheid had het gesprek te beëindigen. 'Jullie proberen een moord in de doofpot te stoppen. Waarom?'

Zijn gezicht liep rood aan. 'Meneer Clovis. Wij proberen helemaal niks in de doofpot te stoppen en dat het hele gedoe rond mevrouw Mulder een moord betreft, is nog onzeker.'

Gedoe rond mevrouw Mulder. 'Zullen we er ooit achter komen? Volgens mij niet. Volgens mij is het de bedoeling dat niemand buiten Quisco er lucht van krijgt.'

Hij stak zijn vinger naar mij uit. 'Nou moet jij eens goed luisteren, mannetje. Vanaf het moment dat ik je bij het huis van de Mulders zag rondsnuffelen, weet ik wat jij hier komt doen.' Onmogelijk. 'En wat moet je met Josie? Ik had je gezegd dat je haar met rust moest laten. Je bent constant in haar nabijheid.'

'Ze is eenzaam.'

'Nou en? Waarom trek jij je het lot van dat kind zo aan? Josie kan prima voor zichzelf opkomen. Als je haar zo goed kent als je beweert, had je dat allang geweten.' Hij begon met zijn tandenstoker zijn nagels schoon te maken. 'Weet je, jouw houding is precies de reden waarom wij niks met jullie te maken willen hebben. Wat zouden wij ermee opschieten om een misdaad te verdonkeremanen?'

'Omdat het jullie gemeenschap kan ontwrichten.'

'Op welke manier?'

'Omdat de kans groot is dat de dader uit Quisco komt.'

'Als dat het geval is, wordt die persoon verwijderd. Heel simpel en rechtvaardig. Daar wordt helemaal niets door ontwricht.'

'Jullie leven is een farce. Jullie wonen in een sprookjesland.'

'Ja? Is jouw wereld de echte wereld? Jouw wereld van hoop is geen nepwereld?' Hij stak zijn tandenstoker tussen zijn lippen. 'Nou. Wat mij betreft zijn we klaar. Ik ga aan het werk, want ook in een nepwereld hebben mensen honger. En als ik jou was, zou ik me buiten zaken houden die je niets aangaan. Ook jij kan worden verwijderd. Net zo makkelijk.'

36

ERWIJL IK naar Selma's huis reed, dacht ik aan Cordons woorden. Ik was inderdaad te gast in een gemeenschap die van meet af aan een enigma voor mij was. Ik moest mezelf herpakken. Misschien had Cordon gelijk met zijn opmerking over hoe ik mijn wereld zag en wilde ik Quisco niet begrijpen omdat het mij niet uitkwam. Had het onrecht dat de inwoners van Quisco door de buitenwereld was aangedaan hen zo verbroederd dat ze elkaar de hand boven het hoofd hielden? Zelfs als een van hen een moord op zijn geweten had? Nee, de mens doet alleen dingen waar hij zelf beter van wordt, net als ik. Maar hoe zat het dan?

Selma was nog niet thuis. Terwijl ik naar boven liep, bemerkte ik een vreemdsoortige behoefte aan een bad, aan het gevoel van water om mijn lichaam. De wonderen waren de wereld nog niet uit.

Ik stapte het bad in en pakte het bovenste tijdschrift van de stoel naast de badkuip met de vreselijke titel *Voer voor Psychologen*. Ik sloeg het open bij de pagina waar een ezelsoor zat. Het betrof een epistel geschreven door ene prof. dr. C.G. de Jong, forensisch psychiater.

Niets is opvallend aan het meisje dat voor haar eerste afspraak mijn spreekkamer binnenloopt. M. is klein voor haar leeftijd – ze is twaalf – en veel te dun. Haar piekerige haar is vlassig en heeft een onbestemde kleur. Als ze haar hand in de mijne legt, voelt haar huid ruw aan. Ik zie dat haar handen, die ze snel terugtrekt en onder haar oksels verstopt, onder het eczeem zitten. M. heeft een smal gezicht en een kleine mond met bleke lippen die de doorbloeding van de lach niet kennen.

Ons eerste gesprek verloopt moeizaam. Ze spreekt geen woord en ontwijkt mijn ogen door uit het raam te kijken. Ze reageert op mijn vragen met een knik of met het schudden van haar hoofd, maar een verbale reactie blijft uit. Op vragen die niet met een gebaar te beantwoorden zijn, volgt geen reactie.

Het is onze patiënten verboden contact te hebben met mensen van buiten de instelling. Hun radio's staan op een vaste zender (klassieke muziek). Hun televisieprogramma's worden ook gecensureerd. Geen nieuws, geen actualiteitenprogramma's of talkshows en geen gewelddadige films of cartoons. Natuurfilms, zonder al te veel dierengeweld, mogen ze wel zien, evenals kinderfilms, maar dan meestal die van een jaar of tien tot twintig geleden. In de hedendaagse kinderfilms komen te veel thema's terug waar ze zich aan zouden kunnen storen.

Het is niet zo dat ze niet geprikkeld mogen worden, maar we willen dat ze tot rust komen in hun hoofd. Het zijn prikkels die ervoor hebben gezorgd dat ze hier terecht zijn gekomen. Die willen wij niet stimuleren.

Naarmate onze sessies vorderen, vallen mij kleine veranderingen in M's gedrag op. Ze is meer ontspannen en soms durft ze mij zelfs aan te kijken. Op een dag, voor mij vrij onverwacht, vertelt ze mij haar verhaal. Ze kwam binnen, ging zitten en begon. Niet hortend en stotend zoals ik had verwacht, maar vloeiend, alsof ze haast heeft en haar levensverhaal kwijt moet.

Ze vertelt me dat ze die bewuste dag opstaat, de bom die ze de dagen ervoor in elkaar heeft geknutseld voorzichtig in haar tas stopt en zonder haar ouders gedag te zeggen naar buiten loopt. Ze vertelt dat ze haar kwelgeesten onderweg naar school tegenkomt en doet alsof ze niets merkt van de steentjes die naar haar hoofd worden gegooid, van de rukken aan de achterkant van haar jurk, van de scheldwoorden die ze na al die jaren op alfabet in haar hoofd heeft zitten, van de voeten die haar keer op keer laten struikelen waardoor ze uiteindelijk met bebloede knieën het schoolplein bereikt. Ze vertelt dat ze de klas in loopt en daar zit. Alleen maar zit en voor zich uitkijkt en ze zich door dat nietsdoen de woede van de leraar op de hals haalt en op de gang wordt gezet. Dat ze naar buiten loopt en de plek inneemt die ze goed heeft uitgekiend, onder de boom naast het muurtje waar ze dagelijks tegenaan wordt gesmeten. Ze vertelt dat de bel gaat, het teken voor haar om de explosieven uit haar tas te halen en in haar hand te laten rusten. Dat zodra dat de groep joelend dichterbij komt, ze de bom gooit. Na de enorme knal volgt een stilte die ze als gelukzalig ervaart. Ze ziet lichaamsdelen, bloed, overal bloed, gezichten verstild in een schreeuw. Dan barst het los. Gegil. Gekrijs. Gejank. Sirenes (ze valt even stil). Ze vertelt dat ze wordt vastgepakt, in een kamertje wordt gezet en de deur in het slot valt. Even later wordt ze door twee agenten opgehaald die haar aankijken alsof ze een stuk ongedierte is en dat ze nu dus hier zit en heel goed begrijpt waarom. Ze zegt mij dat ze beter wil worden.

Maakt dat haar tot een gewetensvol wezen? Dat ze begrijpt waarom ze op een gesloten afdeling zit? In mijn ogen niet. Het is de straf die ze had verwacht, die past bij wat ze heeft gedaan. Het zegt weinig over haar gevoel. Over haar moraal.

In de maanden die volgen, merk ik dat er meer in het muizige meisje zit dan timiditeit en de uitbarsting van agressie die ze heeft toegelaten. Dat zijn niet meer dan de twee uitersten van haar mentale spectrum. Ik ben ervan overtuigd dat M. voor de rest van haar leven ernstig beschadigd is. Haar hersenen hebben zich zodanig ontwikkeld dat haar onvermogen en machteloosheid zich hebben omgezet in een levensgevaarlijke en dodelijke overlevingsdrang. Ze weet dat haar handelen effect heeft gehad. Ze weet dat ze nooit meer gepest zal worden. En daar zit nou net het gevaar.

Ik weet dat mijn collega's er anders over denken en dat het team bezig is met het opstellen van een rapport waarin haar vrijlating wordt geadviseerd. Ik sta er niet achter. Behalve haar voorbeeldige gedrag zijn er wat mijn collega's betreft meer zaken die in haar voordeel spreken. Tegenover de politie had M. beweerd dat ze de kinderen alleen maar aan het schrikken wilde maken. Ze had zich vergist in de hoeveelheid explosieven die ze in haar bom had gestopt. Ze geloofden haar. Ook het feit dat ze werd gepest, werd – tot grote woede van de ouders van de getroffen kinderen – als verzachtende omstandigheid gezien.

Ik ben een andere mening toegedaan. Er zijn geen verzachtende omstandigheden. Het zijn juist de omstandigheden die haar hebben verhard en haar hebben gemaakt tot wat ze nu is: een wandelende tijdbom.

M. is niet de enige die op vrije voeten is gesteld na een zeer discutabele diagnose. Ik weet hoeveel voormalige patiënten buiten rondlopen en een groot gevaar voor de samenleving vormen. Helaas zullen we moeten leven met de gedachte dat we nooit, waar wij ons ook op deze wereld bevinden, veilig zullen zijn.

Naschrift: Voordat M. ons verliet, lieten haar ouders ons weten dat ze haar niet meer in huis wilden hebben. Voor zover ik heb kunnen nagaan, groeide M. op bij verschillende pleeggezinnen. Van het laatste pleeggezin begreep ik dat ze, zodra ze op eigen benen kon staan, een zwervend bestaan ging leiden. Geen van haar pleegouders heeft contact met haar. Het is onbekend waar M. zich momenteel bevindt.

Ik legde het tijdschrift weg, pakte de rugborstel en begon mijn rechterarm te boenen, harder en harder, tot ik mijn huid voelde schrijnen en de striemen tevoorschijn kwamen. Hijgend leunde ik achterover en sloot mijn ogen. Het artikel bracht dingen bij mij naar boven die ik mij niet wilde herinneren. Beelden van mezelf in de hoek van het schoolplein en ik haatte, zo diep haatte dat ik een plan bedacht. Mijn overlevingsplan. Die M. uit het artikel had net zo'n plan gehad. Bij mij was het bij een fantasie gebleven maar niet uit vrije keus. Ik zag voor me hoe mijn moeder met een bleek weggetrokken gezicht de boeken over explosieven die ik uit de bibliotheek had gestolen voor mijn neus hield. Ze keek me niet vragend aan. Ze vroeg niks. Ze wist wat ik van plan was geweest. Vanaf die dag hield ze mij in huis en huurde een thuisonderwijzer in; een obese man met glanzende nagels die naar gebakken eieren rook en mij door zijn dikke brillenglazen altijd aankeek alsof hij mij begreep.

Ik opende mijn ogen. Stond M. voor Martha? Had Josie het ezelsoor erin gelegd om mij te laten weten wat haar moeder had gedaan? Ik pakte het andere blad. Ook hier zat in een van de pagina's een ezelsoor. Ik sloeg het open, staarde naar de foto en schoot uit bad omhoog.

37

ONDER AAN de trap botste ik bijna tegen Selma op die mij wilde komen vertellen dat ze zich had bedacht. Ze hoopte dat ik het niet erg vond, maar ze had geen puf meer een maaltijd klaar te maken en stelde voor op de jaarmarkt een hamburger te eten.

Ik gaf haar de tijdschriften, geopend op de pagina's waar het ezelsoor zat. 'Kent u deze artikelen?'

Ze legde haar vinger op de foto. 'Hé, Thierry in zijn jonge jaren.' Glimlachend keek ze ernaar. 'Goh, dat is lang geleden. Wat leuk.'

'Leuk? Ik vind het helemaal niet leuk. Weet u waarom hij toen is opgepakt?'

'Natuurlijk weet ik dat. Dit soort dingen doet hij niet meer, mocht je dat soms denken.'

'Wat niet? Zich als vrouw uitdossen of minderjarigen molesteren?'

'Je weet precies wat ik bedoel.'

Op de foto werd Thierry door twee agenten een huis uit geleid. Hij keek met opgeheven hoofd de camera in. Zijn mascara was uitgelopen en zijn bloedneus had zijn blouse, die ruches had bij de kraag, bevlekt. Een blonde pruik hing scheef op zijn hoofd. De foto besloeg de hele pagina. In een kader linksbovenin stond: *Thierry B. wordt gearresteerd op verdenking van kindermisbruik. De eigenaar van het populaire restaurant Topville werd in zijn woning betrapt in het gezelschap van twee 12-jarige meisjes. Thierry B. ontkent alle aantijgingen.*

'Moet er daarom altijd iemand bij Josie zijn? Is dat het? Zijn jullie bang dat Thierry zich aan Josie vergrijpt?'

Ik keek toe hoe Selma het tijdschrift oprolde. Toen deed ze een stap naar voren en sloeg mij ermee op mijn hoofd.

'Au!'

'Je moest je schamen,' zei ze.

'Het staat er toch?'

'Ik ga geen energie steken in het pareren van onzinnige reacties, zeker niet van mensen die ik tot beter in staat acht.'

Moest ik nu vereerd zijn? 'Hoe zit het dan?'

Ze ontrolde het tijdschrift en vouwde het open. 'Deze foto heeft zijn leven verwoest. Het kwam uiteindelijk tot een rechtszaak, waar hij onschuldig werd bevonden. Thierry was chef-kok en eigenaar van een sterrenrestaurant. Nadat dit in de krant verscheen, lieten de gasten het massaal afweten. Hij had geen leven meer, werd door iedereen beschimpt en bespot. De muren en deuren van zijn huis werden beklad. Hij besloot zijn biezen te pakken.'

'En het andere artikel? Het gaat over een meisje dat met M. wordt aangeduid. Is dat Martha?'

Selma las het stuk vluchtig door en knikte toen ze klaar was. 'Nee, Martha had een heel andere achtergrond.'

'Wie zegt dat zij geen ander verleden gefabriceerd heeft?'

'Om twee redenen. Ten eerste: een andere achtergrond fabriceren is hier nergens voor nodig en ten tweede, ik ken iemand met dit verleden. Ik twijfel of ik het je moet vertellen of dat ik het beter voor me kan houden, gezien je begrip voor Thierry's situatie. Want waarom zou je alles over iedereen moeten weten? Mensen hebben geheimen, en sommigen leven bij de gratie daarvan. Het is hun bestaansrecht en dat moeten we ze gunnen.' Ze keek me even aan en zei: 'Dit gaat over Melissa.'

Natuurlijk. Melissa. Dat ik daar zelf niet opgekomen was. Nu begreep ik wat Josie bedoelde met dat kleineren. Gepeste Melissa had dus eigenhandig een bom in elkaar geknutseld en door haar toedoen was een kind omgekomen en waren er drie zwaargewond geraakt. 'En uitgerekend Melissa is verantwoordelijk voor Josie?'

'Ze is veranderd.'

'Die psycholoog beweert dat honderd procent genezing in haar geval onmogelijk is.'

'Psychologen beweren wel meer dingen. Je denkt toch niet dat wij Josie in handen geven van iemand die doelbewust een aanslag op kinderen heeft gepleegd?'

'U noemt dit niet doelbewust? Ze had alles tot in de details voorbereid! Jullie nemen een groot risico. Ik heb ze samen meegemaakt. Josie weet precies hoe ze Melissa moet raken en ze schept er nog plezier in ook. Stel dat alles weer de kop opsteekt? Hebben jullie daar weleens aan gedacht? Jullie weten toch hoe Josie is, dat ze geen rekening houdt met de gevoelens van anderen? Selma, degene die deze tijdschriften heeft neergelegd, wilde ons waarschuwen.'

'Niet ons. Jou, de enige vreemdeling in Quisco. Wij zijn al voldoende gewaarschuwd. Ben je klaar?'

'Nee.'

'Nou, ik wel en je logeert in mijn huis, dus ik bepaal waar onze gesprekken over gaan. Als je meer over Melissa of Thierry of wie dan ook wilt weten, vraag het ze dan gewoon. Kom, laten we gaan. Even een vestje pakken.' Ze liep de hal in en riep: 'Ik ben blij dat ik Laura ervan heb kunnen overtuigen dat ze jou moest sturen.'

Wat zei ze nou? Oma had erop aangedrongen Selma te bezoeken en nu bleek het andersom te zijn? Ik keek naar haar terwijl ze in de deuropening haar vest stond dicht te knopen. 'Wat is er?' vroeg ze.

'Niks.'

'Je keek zo vreemd. Ga je mee?'

38

D E BRIES was aangewakkerd tot een stevige wind die de doeken boven de kraampjes deed opbollen. De zon stond laag maar had vreemd genoeg dezelfde kracht als op het heetst van de dag.

Er hing een rare sfeer op het plein, alsof de dorpelingen op ons hadden gewacht om in beweging te komen en zich nu als figuranten van hun taak kweten. Ze spraken geanimeerd met elkaar, slenterden langs de kraampjes en ze lachten – niet te hard en niet te zacht. Het orkestje speelde een onherkenbaar semivrolijk deuntje. Alles klopte, maar ze gaven me het gevoel dat ik de gangmaker was.

Selma trok me mee naar het terras waarvan de parasols uit voorzorg waren dichtgeklapt. 'Zo,' zei ze toen we plaatsnamen. 'Daar zitten we dan.'

'Ja, daar zitten we.'

De minutenlange stilte die volgde had weinig te maken met de zwijgzaamheid van de intimiteit.

'Is er iets?'

'Nee, hoor,' zei ik en ik keek naar Selma, die met een gespannen gezicht en plukkend aan de mouw van haar vest mijn ogen vermeed. Uiteindelijk keek ze terug.

'Vraag het me maar,' zei ze.

'Waarom wilde u dat ik naar Quisco kwam?'

'Wij dachten dat een tijd van bezinning en contemplatie goed voor je zou zijn. We maakten ons zorgen om je welzijn.'

'We?'

'Laura kende je beter dan je denkt. Enfin, je bent gekomen. Wat maakt het je uit wie dat in gang heeft gezet?'

'Er is niks mis met mijn welzijn.'

Ze legde haar handjes op mijn knieën en keek me indringend aan. 'Weet je dat zeker? Doe eens wat stappen terug en kijk goed. De kunst is niet te schrikken van wat je dan ziet. Het is angst die ervoor zorgt dat je afstand tot jezelf behoudt. Laura doorzag dat, maar het lukte haar niet tot jou door te dringen. Daarom ben je nu in Quisco.'

'Om mezelf te leren kennen? Daar heb ik Quisco echt niet voor nodig. En ik zou uw pijlen op iemand anders richten, want als er iemand is over wie u bezorgd moet zijn, is dat Josie. Niemand bekommert zich om haar.'

Ze zuchtte en trok haar handen van mij af. 'Hopeloos. Je bent er overduidelijk nog niet aan toe. Maar goed, ik begrijp dat je graag van onderwerp wilt veranderen dus vertel mij eens: wat versta je onder toekomst?'

'Jezelf ontwikkelen, een pad in gaan, het leven ervaren. Elk mens heeft die behoefte.'

'Wij hebben het leven al ervaren.'

'Elk jong mens, dan. Selma, is Martha daarom dood? Ja, dat is het, hè. Zij wilde meer voor Josie dan jullie konden bieden. Of wilden bieden.'

Selma wiebelde met haar hoofd op de maat van de muziek. 'Het onderzoek zal uitwijzen wat er met Martha gebeurd is.'

En toen kwam de vraag in me op die ik veel eerder had moeten stellen. 'Is Martha eigenlijk wel opgehaald en naar West gebracht?'

'Natuurlijk. Wat dacht je dan?'

'Het schoot even door mijn hoofd dat ze nog steeds bij Big John ligt, of stiekem is begraven, of gecremeerd. Handig toch? Geen onderzoek? Gewoon hup, weg ermee, met die Martha. Probleem opgelost.'

De blik waarmee ze mij aankeek, was vervuld van medelijden. 'Je raaskalt. Er is wel degelijk onderzoek gedaan.'

'O ja?'

'Ja.' Ze slaakte weer een diepe zucht. 'Jij zou morgen geïnformeerd worden over de uitkomst, na de jaarmarkt. Weet je wat,' zei Selma terwijl ze opstond, 'ik haal hem wel even voor je, ik ben zo terug.' En weg was ze.

Ik kon er niet over uit. Waar bemoeide oma zich mee? En als ze zich zorgen had gemaakt, had ze er toch met mij over kunnen praten? Oma had ooit gezegd dat er meer in me zat dan ik zelf wist. Ik had dat als compliment opgevat. Had ik dat verkeerd geïnterpreteerd? Die kans was groot, want ik was toen een jaar of twintig en overal van overtuigd, voornamelijk van mezelf. Ik keek hoe Selma met sheriff Cordon in haar kielzog op mij af kwam lopen.

'Zo,' zei Cordon. 'Ik begreep van Selma dat het verstandig is jou te vertellen wat het onderzoek heeft uitgewezen.'

'Nou, aangezien iedereen het weet behalve ik, lijkt me dat wel prettig, ja.'

Cordon maakte het geluid van een ingehouden nies. 'Je bent niet een van ons.'

'En ik ben blij toe. Wat is er met haar gebeurd?'

'Als je meeloopt, kun je het zelf zien, anders denk je straks dat jou van alles op de mouw wordt gespeld.'

'Zie je?' We stonden op het Kruispad ter hoogte van de plek waar Martha was gevonden. Ik volgde Cordons vinger en keek naar de diepe hoefafdrukken in het zand. 'Dat is de doodsoorzaak.'

'Koeien?'

'Ja. Ze is door de koeien doodgedrukt.'

Doodgedrukt door koeien? 'Bewust?' Het was eruit voor ik het wist.

'Nou, dat lijkt me nogal onwaarschijnlijk, alhoewel je het met dieren nooit zeker weet natuurlijk.' Hij tikte op zijn slaap. 'En in het hoofd van een koe zit meer dan wij kunnen bevroeden.'

'Zijn die hoefafdrukken je enige aanwijzing? Hoe kun je daar nou uit afleiden wat er met Martha gebeurd is?'

Hij sloeg zijn armen over elkaar. 'Omdat ik, in tegenstelling tot velen, in staat ben tot logisch redeneren.' Hij gleed met zijn voet over de diepe hoefsporen in het zand. 'Op de dag dat Martha verdween, kwam Sven erachter dat zijn hek omvergelopen was. Zijn kudde was losgebroken. Iets of iemand heeft ze de stuipen op het lijf gejaagd. Svens weilanden liggen achter die braamstruiken daar. Aan de hoefsporen kon ik opmaken dat ze het pad zijn afgestormd. Wij denken dat Martha op datzelfde moment op het

Kruispad liep en tussen die koeien terecht is gekomen. Dus kunnen we hierbij concluderen dat de dood van Martha een onfortuinlijk ongeluk was.'

Een onfortuinlijk ongeluk… 'En dat ze daar dus al die tijd heeft gelegen.'

'Ja.'

Ik keek naar de hoefafdrukken. 'Waarom zijn die sporen nog zichtbaar?'

'Er komen bijna nooit mensen op het Kruispad.'

'Ik wel. De dag nadat Martha was gevonden, was ik hier. Ik ben Dorothea toen tegengekomen, dus dat zijn er al twee. Je hoeft er niet met een vergrootglas bovenop te zitten om die afdrukken te zien. Die zijn me toen helemaal niet opgevallen.'

'Kom eens mee.' Een paar meter van de plek waar Dorothea en ik hadden gestaan wees hij weer naar de grond. 'Herken je deze?'

Het waren mijn voetafdrukken. Ik herkende ze aan de ster op de zool van mijn gymschoenen. Eromheen wemelde het van de hoefsporen.

'We vonden het al vreemd. Van de buitenkant was niet te zien waar mevrouw Mulder aan overleden was,' zei Cordon. 'Ja, blauwe plekken te over, en diepe krassen op haar armen en onderbenen. Toen ze haar openmaakten, bleken een paar ribben gebroken en haar longen waren ingeklapt. Alles wees op verstikking. Ze is doodgedrukt.'

'En wat deed Martha op het Kruispad? Ook bramen plukken?'

'Haar man ligt op de rustplaats, een stukje verderop. Ze ging er weleens heen.'

'Ik vind het een bizarre theorie. Sterker nog, ik heb nog nooit zoiets belachelijks gehoord.'

Hij gooide zijn hoofd in zijn nek en begon te lachen. Toen hij tot bedaren was gekomen zei hij: 'Weet je wat het mooiste van alles is?'

'Nou?'

'Dat het mij volkomen koud laat wat jij ervan vindt. Martha is door een ongelukkige samenloop van omstandigheden om het leven gekomen. Mijn bevindingen komen overeen met het rapport van de lijkschouwer. We kunnen het onderzoek dus als afgesloten beschouwen.'

'Afgesloten? Dat slaat nergens op!'

'Denk je werkelijk dat jij daar iets over te zeggen hebt? Jouw inmenging in onze zaken begint me zo langzamerhand flink de keel uit te hangen.'

'Wat proberen jullie te verbergen?'

'Volgens mij ben jij degene die iets te verbergen heeft.'

'Ik?'

'Die onschuldige blik is aan mij niet besteed. Ik weet wat jij in Quisco komt doen. We weten het allemaal.'

'Ik heb geen idee waar je het over hebt.'

'Je vraagt naar de bekende weg, maar dat doe je al vanaf de dag dat je bij ons bent. Wanneer gaan die ogen nou eens open? Zie je er wel iets mee? Of zie je alleen maar wat jou goed uitkomt? Nou, ik ga terug. Het is een feestdag en ik heb geen zin mijn goede humeur te laten verknallen door jouw aanklachten tegen ons vermeende wanbeleid.'

39

CORDON LIEP met haastige stappen bij me vandaan. De zon stond nog steeds laag aan de hemel. Straks zou ik de maan zien, en het was me al eerder opgevallen dat de sterren hier feller schenen dan thuis. Het leek of die zich in dit deel van de wereld dichter bij de aarde bevonden. Of Quisco lag dichter bij de hemel, dat kon ook.

De zoveelste heldere nacht zou volgen op de zoveelste zonovergoten dag. Ik bevond me in een onveranderlijke wereld waarin dagelijkse handelingen nergens toe leidden. Alles stond vast. Waar was de levendigheid? Waar was de energie? De inspiratie? De creativiteit? In Quisco sloeg alles dood.

Mijn petje waaide van mijn hoofd. Ik raapte het op, stak het in mijn achterzak en liep door. Het was een kleine moeite de kudde van Sven langs het pad te leiden om hun theorie kloppend te maken. Ze hadden ervoor gezorgd dat de afdrukken van de hoeven vlak langs de mijne liepen, waardoor het leek alsof het had plaatsgevonden voordat ik op het Kruispad was geweest. Hadden ze

Martha ergens verstopt voordat ze om het leven werd gebracht, in een of andere kelder, zoals die van Selma? Ik dacht terug aan het moment dat ik boven de kelderopening hing en die geur rook.

Ik werd dol van mijn eigen redeneringen, alsof ik om Jeremiahs standbeeld rondjes draaide en elke afslag de goede of de verkeerde kon zijn waardoor ik maar bleef doorrijden. De inwoners van Quisco lieten niets los, hielden elkaar het hand boven het hoofd. Tegelijkertijd kreeg ik van allerlei kanten aanwijzingen, drupjes informatie die mij in een bepaalde richting moesten duwen. Iedereen die ik ontmoette leek maar één doel voor ogen te hebben: mij een rad voor de ogen te draaien. Ze zogen mij als energie-vampiers leeg om me vervolgens als een lege batterij te dumpen.

Plotseling hoorde ik een vreemd rommelend geluid. Onweer? Ik keek omhoog naar de wolkeloze hemel. Toen hoorde ik het weer. Het was angstaanjagend. Ik versnelde mijn pas, voortgeduwd door de wind.

Er hing een vreemde stilte op het plein, terwijl het er nog even druk was als daarnet. Selma was nergens te bekennen. Ik liep naar Thierry die naast de barbecue bordjes stond te garneren. 'Ha, Thierry, druk bezig zie ik.'

'Pfff, nou. De ergste drukte is gelukkig voorbij. Dat is maar goed ook, want door die wind gaat het vuur steeds uit. Jij wilt er vast wel een.'

Zonder mijn antwoord af te wachten pakte hij een bordje en ik keek toe hoe hij met geroutineerde handelingen mijn hamburger vervolmaakte. 'Thierry, heb jij toevallig een familielid die leraar is geweest? Voor kinderen die thuisonderwijs volgden?'

'Hè? Hoe weet jij dat?'

'Je lijkt sprekend op een leraar die ik ooit heb gehad. Wie was het? Een oom? Je vader?'

Hij keek me wat bevreemd aan en tikte zichzelf op de borst. 'Nee, ik. Ik heb een paar jaar lesgegeven en 's avonds stond ik in de keuken. Toen ik mijn restaurant begon, ben ik ermee gestopt.'

Nee, dat was onmogelijk. Thierry en ik scheelden misschien vijf jaar. Hij kon het nooit geweest zijn.

'Waarom kreeg jij eigenlijk thuisonderwijs? Was er iets mis met je?' vroeg hij lachend.

'Thierry, mag ik je een persoonlijke vraag stellen?'

'Vragen staat vrij,' zei hij en flipte mijn hamburger om.

'Ik heb begrepen dat jij ooit bent gearresteerd?'

Hij keek niet eens verrast. 'Van wie heb je dat gehoord?'

'Het stond in een tijdschrift dat ik onder ogen kreeg.'

'Laat me raden: het stuk met die foto zeker? Waar ik als vrouw op sta?'

'Ja.'

'Ga je het voor je artikel gebruiken?'

'Nee. Ik ben gewoon benieuwd naar jouw kant van het verhaal.'

'Waarom ben je daar benieuwd naar? Wie zegt dat mijn versie klopt?'

'Niemand, maar ik dacht...'

Hij sloeg me op mijn schouder en lachte. 'Ik plaag je maar wat.' Hij duwde het bord met de hamburger in mijn handen. 'Pak aan. Kom, we gaan even zitten.'

Thierry perste zich tussen de stoelleuningen terwijl ik mijn hamburger plette. De garnering kwam er aan alle kanten uit, net als de dijen van Thierry die tussen de leuningen van de terrasstoel uitpuilden.

'Laat het je smaken,' zei hij en legde zijn handen op zijn buik. 'Ik kan me niet anders herinneren dan dat ik de kleren van mijn zusjes wilde dragen. Eerst deed ik dat alleen thuis, maar toen ik een jaar of acht was, wilde ik ze ook naar school aan. Mijn ouders lieten dat niet toe, dus nam ik de spullen mee en kleedde me daar op de wc om.'

Gelukkig had ik mijn mond vol waardoor Thierry niet kon zien dat ik moeite moest doen mijn lachen in te houden. Ik zag het voor me. Thierry die in een wc zijn kilo's in vrouwenkleding stond te persen... 'Ik was een stuk slanker toen, moet je weten. Dit,' zei hij en klopte met beide handen op zijn buik, 'is er allemaal later bij gekomen.'

'Werd je ermee gepest?'

'Behoorlijk, maar dat deed me niks. Op een gegeven moment wilde ik make-up gaan gebruiken. Ik liep door het park en zag twee meisjes zitten. Ze waren elkaar aan het opmaken. Ik vertelde dat ik naar een feest ging waar mannen als vrouw verkleed moesten en vroeg of ze mij een en ander wilden bijbrengen. Ze stemden toe en ik nam ze mee naar huis.' Thierry zuchtte. 'Het werd een wekelijks ritueel tot het vriendje van een van de meisjes de politie belde. Omdat de meisjes thuis niet durfden te vertellen dat ze spijbelden, zeiden ze dat ik ze onder bedreiging had meegenomen en ze bij mij seksuele handelingen moesten verrichten.' Thierry staarde knikkend voor zich uit. 'Ik kwam in de hel terecht. Ik moest weg.'

'Naar Quisco?'

'Quisco kwam later. Ik ging in een andere stad wonen, veranderde mijn naam en pakte het lesgeven weer op. Ik vond het steeds minder belangrijk me van de buitenkant als vrouw te profileren. Belangrijker was dat ik mezelf kon zijn. Maar ik kon het niet onderdrukken en ging hormonen slikken. Het pakte verkeerd uit.'

Hij trok zijn shirt omhoog. Overdwars liepen twee littekens als reusachtige duizendpoten over zijn buik. 'Ze hebben er twee tumoren uit gehaald.' Hij hield zijn handen op zo'n dertig centimeter van elkaar gekromd voor zich. 'Zo groot waren ze. De artsen achten de kans groot dat de volgende kwaadaardig zal zijn. Daarom wilde ik een operatie. Maar door mijn overgewicht zou dat mijn dood kunnen betekenen. Ik moest op dieet.'

'Er zit iets in.'

Hij keek me aan. Er lag iets in zijn ogen wat ik nog niet eerder bij hem had gezien. 'Ben jij arts soms?'

'Nou... nee.'

Hij legde een hand op mijn knie en kneep er zo hard in dat mijn been zich in een reflex terugtrok. 'Sorry, het zit me erg hoog. Ik heb het geprobeerd, hoor, maar het ging niet. Ik raakte depressief, het lesgeven ging niet meer, het leven ging niet meer. Het zijn de mensen in Quisco die mij er weer bovenop hebben geholpen. Ze hebben een groot hart.'

'Vind je?'

'Ik begrijp wat je bedoelt, Evander, maar onze gemeenschap zit anders in elkaar dan je gewend bent. Als wij iets over een ander zeggen, is het iets wat gezegd mag worden.'

Het was onzin wat Thierry met een stalen gezicht zat te beweren. Ze hoopten dat ze anders waren, maar deze gemeenschap zat net zo in elkaar als elke andere, met regels, wetten en tradities, met intriges en vetes, met optimisten en mensen die het leven minder rooskleurig zagen.

Het was harder gaan waaien. Thierry greep zijn armleuningen beet. 'Kom Evander, we moeten naar binnen.'

Een beetje wind en ze raakten al in paniek. 'Het is maar een windje.'

'Doe wat je wilt.' Thierry duwde de stoel die met hem mee omhoogkwam met enige kracht naar beneden en liep op een drafje naar zijn zaak. Toen viel het me pas op dat het plein leeg was. Vanachter de ramen van Eten & Drinken staarden de mensen me aan, op dezelfde manier als de dag waarop ik in Quisco was aangekomen en daar voor de deur parkeerde. Opeens hoorde ik achter mij het geluid van aanzwellende donder. Ik draaide me om.

40

ALS EEN vloedgolf kwam de metershoge bloedrode wolk op me afgerold. Het was een fascinerend schouwspel. De wolk hulde de schemerige hemel in een donkerpaarse gloed en bracht het monsterlijke geluid voort van een langdurende donderslag. Het gebrul zwol met de seconde aan tot het oorverdovend werd.

Ik sprintte weg, maar ik was te laat. Ik werd verzwolgen en het voelde alsof er met duizenden naalden in mijn huid werd geprikt. Mijn mond vulde zich met zand. Ik spuugde en legde mijn handen over mijn gezicht, deed een paar onzekere stappen en struikelde over een terrasstoel. Ik kon mezelf ternauwernood staande houden. De wind trok aan mijn kleren, rukte aan mijn haren. Ik kon geen adem halen, werd verstikt door het zand dat tussen mijn vingers door mijn neus en mond bereikte. Wankelend liep ik naar voren. Plotseling voelde ik een ruk aan mijn shirt. Iemand trok me mee. Opeens verdween het zand en verminderde het gebrul. Ik spuugde een paar keer op de grond, veegde met mijn handen over mijn gezicht en keek op.

Josie stond in de achterste hoek van het portiek dat net diep genoeg was om ons tegen de zandstorm te beschermen. Ze had een sjaal om haar gezicht gewikkeld waardoor ze eruitzag als een bedoeïen. Het enige zichtbare waren haar ogen, die niet meer fletsblauw waren maar helder als het water in de beek. Ze keek mij kalm en een beetje geamuseerd aan. Er was geen korrel zand op haar te bekennen, alsof het door haar heen was gegleden.

Ik spreidde mijn vingers en draaide mijn handen om. Stofdeeltjes hadden zich in mijn huidplooien genesteld en accentueerden mijn handlijnen. Ik wreef mijn handen tegen elkaar in een poging ze weg te krijgen, maar het werd erger, alsof elk korreltje een bloedcel was die knapte door de wrijving en de materie zich aan mijn huid vasthechtte. Ik kromde en strekte mijn vingers. Het voelde dik en plakkerig aan. Ik toonde Josie mijn handpalmen. 'Dat spul... die kleur...'

'Met water spoel je het er zo vanaf.'

'Ze hebben me niet gewaarschuwd,' zei ik. 'Ze waren opeens weg.'

'Dat verbaast je?'

Ja, dat verbaasde me. Ik had geen benul van de lokale natuurrampen. Thierry had moeten aandringen, had me met zich mee moeten sleuren. Het kon ze niets schelen wat er met mij gebeurde. Behalve Josie kon het niemand iets schelen. Zelfs Selma niet. 'Waarom heb jij nergens last van?'

'Het raakt mij niet.'

'Gebeurt dit vaak?'

'De stormen zijn onvoorspelbaar.'

'Duren ze lang?'

'Soms.'

Ze liet zich tegen de muur naar beneden glijden tot ze in hurk-positie zat. 'Als ik jou was zou ik ook gaan zitten. Dit kan nog wel even duren.'

De lucht was gevuld met zandkorrels. Als een zacht wapperend gordijn bewogen ze voor onze schuilplaats heen en weer. 'Kijk eens wat ik voor je heb,' zei Josie.

Ik veegde mijn handen af aan mijn broek, pakte het boek van haar aan en schoof het elastiek opzij waarmee het bijeen werd ge-houden. Ik staarde naar de kolommen. 'Hoe wist je dat ik dit wil-de zien?'

'Gewoon.'

Ik bekeek de rijen met namen, keurig voorzien van een datum en tijdstip van overlijden en het grafnummer. 'Waarom hebben de graven geen naam maar een nummer?'

'Ze denken in Quisco op een andere manier over de dood.'

Terwijl ik de met namen gevulde bladzijden bekeek, bedacht ik dat Lisette Macau in al haar chagrijn gelijk had. Wat had ik eraan? Namen gleden voorbij, pagina na pagina. Dit sloeg nergens op. Ik bladerde door. Juist toen ik het boek dicht wilde slaan, kuchte Jo-sie en tegelijkertijd bleven mijn ogen hangen bij een naam die mij bekend voorkwam.

De man was veertien jaar geleden opgepakt op verdenking van seksueel misbruik van zijn twee dochters. Nadat ze de volwassen leeftijd hadden bereikt sleepten ze hun vader voor het gerecht. Hoewel hij volhield onschuldig te zijn, werd hij veroordeeld tot twintig jaar cel. Het proces werd heropend omdat iemand met het verhaal op de proppen kwam dat zijn dochters alles hadden verzonnen om het bedrijf van hun vader in handen te krijgen. Ik herinnerde mij de tv-beelden van zijn vrijlating en hoe hij voor het oog van de camera de gevangenis uit liep. Een gebroken man die ze voor zijn eigen veiligheid in een isoleercel hadden gezet.

Ik bladerde terug. Nu ik wist waar ik op moest letten, zag ik meer bekende namen voorbijkomen, zoals die bankmedewerkster. Zij stond in de hal toen er aan de andere kant van de glazen deur vier mannen hun pistolen op haar richtten. Als ze de deur niet openmaakte, zouden ze haar doodschieten. De doodsbange vrouw vergat dat ze achter kogelwerend glas stond en deed wat ze vroegen. De mannen stormden de bank in en begonnen om zich heen te schieten. Twaalf mensen werden gedood en zes anderen raakten zwaargewond. De medewerkster bleef lichamelijk ongedeerd, maar mentaal werd ze een wrak. Ze werd belaagd door de pers en opeens was ze verdwenen. Velen gingen ervan uit dat ze zelfmoord had gepleegd, dat ze het leven niet meer aankon door de gedachte aan de twaalf mensen die waren gedood omdat zij die deur had geopend.

Ik blies langzaam uit. Iedereen in Quisco was ergens schuldig aan, of was onschuldig maar werd schuldig bevonden, of voelde zich schuldig. Ik keek naar Josie, die haar armen om haar knieën had geslagen en met een verdrietig gezicht naar het zand keek dat zacht knisperend loodrecht naar beneden viel.

'Josie? Heb jij dat politiedossier over Dorothea aan mij gegeven? En dat pijltje bij het gezicht van Aimee op de foto in de krant? Heb jij dat erbij gezet?'

Ze wees naar buiten. 'Zie je dat? Zo voelt het nou.'

'Om in Quisco te leven, bedoel je?'

'Nee, om er levend begraven te zijn.'

Mijn rechterarm begon te trillen. Ik pakte hem vast en drukte hem tegen mijn lichaam. De wind was gaan liggen en het gebulder was verstomd. Wat restte was het zachte, haast meditatieve geruis van vallend zand. De rust die mij overviel was intens. Mijn arm stopte met trillen en ik voelde de spanning uit mijn lichaam glijden als een virus dat zich gewonnen geeft.

Ik huilde zonder geluid te maken, voelde de tranen over mijn wangen stromen, voelde Josies hand op mijn schouder. Het was geen hand die om uitleg vroeg, of die wilde troosten, het was een hand die begreep. Zij wist het allang. Zij wist het voordat ik het wist.

41

IK WAS pas negen jaar oud. Hoe kon ik weten dat het zo zou af-lopen? Ik had geen flauw benul, ik wist niks, behalve dat mijn ouders mij niet mochten. Dat wist ik. Maar dat heeft niets te ma-ken met wat er gebeurde op die eerste zomervakantiedag van dat jaar. Helemaal niets.

Mijn geheugen zat vol met flarden van die dag, die ik nu pas met elkaar in verband bracht. De zon op mijn huid. Het strand. Gelach op de achtergrond. De klingelende bel van de ijscoman. Geklapper van vallende vliegers. De zilte lucht, het zout op mijn lippen. Het zachte schurende zand tussen mijn tenen, afgewisseld met pijnscheutjes veroorzaakt door de randen van kapotgeslagen schelpen. Twee schepjes naast een zandophoping.

Ik was er altijd van uitgegaan dat het gedachten waren van mijn enige prettige jeugdherinnering, maar het tegenovergestelde was waar.

Mijn ouders zaten onder een parasol op de tuinstoelen die mijn vader met tegenzin had meegenomen (ruzie 1). Tussen hen in stond een koelbox zonder alcohol (ruzie 2) en zonder broodjes ham (ruzie 3). Ze waren verdiept in hun boeken en hadden geen oog voor ons. Ze wisten dat ik nooit ver uit hun buurt zou gaan. Zo was ik getraind.

Jochem. Mijn allereerste vriendje. En mijn laatste. We waren eenlingen en om die reden tot elkaar veroordeeld. Nu we elkaar gevonden hadden, konden we doen alsof we erbij hoorden. Alsof we normaal waren. Jochem, met zijn flaporen waar hij nooit meer om uitgelachen zou worden, zijn scheve tanden die nooit door een beugel zouden worden rechtgezet, zijn dunne meisjesachtige benen die nooit gespierd en mannelijk zouden worden en zijn schaterlach die op die bewuste dag voor de laatste keer over een strand zou schallen.

Dieper en dieper werd het gat bij de vloedlijn dat Jochem en ik aan het graven waren. We waren doelgericht bezig, trots op ons werk en namen de bemoedigende knikjes van strandwandelaars dankbaar en met blijdschap in ontvangst.

Mijn moeder riep ons. Broodjes met gekookt ei, limonade. Ik keek toe hoe mijn moeder Jochems rug insmeerde, nadat ze eerst het zand van zijn rug had geveegd. De blik in haar ogen was warm, attent en liefdevol. Het vrat aan me. Haar glimlach en haar geruststellende woorden, haar zachte handen die strelend over zijn rug gleden. Haar oprechte tederheid.

We liepen terug naar onze speelplek achter een paar rotsen die mijn ouders het zicht op ons ontnamen. Onweerswolken pakten zich aan de horizon samen en veel strandgasten hielden het voor gezien. Jochem en ik niet. We groeven door, net zo lang tot hij erin paste.

Het zand was zwaarder nu de vloed kwam opzetten. Jochem gierde het uit bij elke schep zand die op hem terechtkwam. Schep, schep, schep. Ik maande hem te blijven liggen. Niet met je armen en benen bewegen, Jochem. Ik schepte en schepte, tot alleen zijn hoofd boven het zand uitstak. De vloedlijn was op de hoogte van de plek waar zijn tenen diep onder het zand zaten. Ik drukte met mijn handen de zandberg die op hem lag stevig aan en begon erop te springen en te dansen. We lachten, gierden het uit. Toen liep ik weg.

Ik heb me nog een keer omgedraaid. Zijn mond was open en hij maakte wilde bewegingen met zijn hoofd. De vloedlijn was verder opgekropen en reikte tot aan zijn hals.

Dat was de laatste keer dat ik Jochem zag. Het was ook de laatste keer dat ik met mijn ouders naar het strand ben geweest.

Een week of twee na die stranddag stuitte ik bij toeval op een foto van de begrafenis. Mijn moeder had mij gevraagd de stapel kranten, die met een touwtje waren vastgebonden, naar buiten te brengen omdat het oud papier zou worden opgehaald. 'Dodelijk ongeluk aan zee' luidde de kop van de bovenste krant. Ik schoof het touwtje opzij. Jochems ouders stonden met gebogen hoofden voor de kist die verdronk onder de bloemenzee. Het waren rozen. Rozen in alle kleuren, soorten en maten. Ik was pas negen. Hoe kon ik het weten?

'Hoe kon ik het weten?'

'Je was pas negen.'

Ik keek Josie aan. 'Het was mijn schuld.'

'Ja.'

'Ik wist niet wat ik deed.'

'Dat wist je wel.'

'Ja.'

'Je wist alleen niet dat het onomkeerbaar was.'

'Nee.'

De herwonnen ruimte in mijn lichaam en geest vulde zich met kracht. De spanning was terug, maar was van een heel andere dimensie. Ik keek Josie aan. 'Ik snap het.'

'Wat snap je?'

'Quisco.'

Josie knikte.

'Waarom heb je het losgemaakt?'

'Ik heb niks losgemaakt. Dat heb je zelf gedaan.'

'Nu moet ik ermee leren leven.'

'Zo hoort het ook.'

Ik duwde mezelf langs de muur omhoog. Tegelijkertijd viel het zandgordijn met een zacht knisperend geluid loodrecht naar beneden, als een doek dat een standbeeld onthult.

Het plein lag onder een bloedrode zanddeken. Het beeld van Jeremiah was van onder tot boven bedekt en leek op een gigantische termietenheuvel. Onderdelen van de kraampjes lagen als kleine zandheuvels verspreid over het plein. Thierry's vlaggetjes hingen in mismoedige slierten aan de luifel van Eten & Drinken.

Toen hoorde ik een zacht schurend geluid. Voor mijn ogen schoof het zand weg. Het gleed van het beeld, van het plein, van de daken en de gevels van de omringende gebouwen. Weg waren de strakke wit gepleisterde muren en glorende leistenen dakpannen. Wat eronder vandaan kwam was vergaan. Ik zag grote grijze plekken op verweerde muren waar het stucwerk had losgelaten.

Eten & Drinken zag eruit als een restaurant in een spookstad. Er zaten gaten in de luifel, de deur hing aan één scharnier en er zat een groot gat in een van de ramen. Voor het andere had de rode luxaflex aan een kant losgelaten en hing als een scheve glimlach naar beneden. De geparkeerde auto's waren verroest en rijp voor de sloop, en bomen en struiken zaten onder een roestbruine stoflaag. Het enige onaangetaste was het standbeeld van Jeremiah. Het glom als nooit tevoren.

Ik wilde Josie erop wijzen, maar ze was verdwenen. En met haar verdween ook mijn inzicht.

42

Verdwaasd stapte ik het plein op. Ik was de tijd kwijt. De zon stond nog steeds aan de hemel, en ik had het idee dat ze hoger stond en krachtiger scheen dan daarnet, dat de zandstorm de hemel had opgeschuurd en had ontdaan van een oude vernislaag. Ik leek in een foto te staan. Alles was bewegingloos. Ik deed een stap naar voren. Toen nog een, en nog een, steeds sneller, tot ik rende.

In tegenstelling tot de andere auto's zag die van mij eruit alsof die net uit de showroom kwam. Het kostte me drie pogingen mijn sleutel in het contact te krijgen. De motor kwam met een geruststellend gebrom tot leven en met gierende banden reed ik weg. Vrijwel direct floepte het lampje van mijn benzinemeter aan. Dat was onmogelijk. Bij Sharon had ik mijn tank volgegooid en in Quisco had ik alleen korte stukjes gereden. Iemand moest mijn tank hebben geleegd. Die munt van Sharon? Waar was die? Ik duwde mijn heup omhoog en drukte met mijn vingertoppen op mijn broekzak. Het muntje zat erin. Waarschijnlijk had ik hem met het leegmaken van mijn zakken automatisch overgeheveld naar deze broek. Opgelucht drukte ik mijn gaspedaal weer in.

Selma's huis was een bouwval. De deur hing uit de sponning en er zaten diepe gaten in de verweerde vloerplanken van de veranda. Binnen lag alles onder een roestbruine stoflaag. Ik rende de trap op, zakte tot halverwege mijn kuit door de bovenste trede die het onder mijn lichaamsgewicht begaf en duwde mijn slaapkamerdeur open.

Alles was zoals ik het had achtergelaten. Het opengeslagen bed, de afdruk van mijn hoofd in het kussen, mijn plunjezak aan het voeteneinde. Ik schoof de mat opzij, trok de plank omhoog en pakte het pakket eruit. Het papier was vergeeld en de vellen voelden droog en broos aan. Ik trok mijn plunjezak naar me toe en schoof alles erin.

'Ga je weg?'

Selma had mij altijd wat geamuseerd en tegelijkertijd liefdevol aangekeken, maar die gezichtsuitdrukking had plaatsgemaakt voor een krachtige en harde blik die mij onbekend voorkwam.

'Ja. Ik had nooit moeten komen. Ik ga naar huis.'

'Weet je het zeker?'

'Bent u van plan mij tegen te houden?'

'Je mag doen wat je wilt. Ik raad je aan te blijven, maar de keuze is aan jou.'

'Ja? Mag ik gaan? Net als Martha wilde gaan? Werkt het zo? Wat is dit voor oord?'

'Je weet wat voor oord dit is. Net zag je het nog.'

'Wat moet ik zien? Vertel mij wat ik moet zien!'

'Schreeuw niet zo, Evander. Het werkt alleen als je het zelf ziet. Niemand is zonder reden in Quisco. Martha hoorde niet bij ons, Josie wel. Jij ook.'

'U hoort dus ook in Quisco?'

'Zo zou je het kunnen omschrijven. Soms zijn ze zich er niet van bewust dat ze bij ons beter af zijn. Dan haal ik ze. Het is mijn taak hulpvaardig te zijn.' Ze keek me veelbetekenend aan. 'Ik zou het op prijs stellen als je bleef. We hebben veel tijd en energie in jou gestoken.'

Ik propte mijn spullen in mijn plunjezak. 'Ik heb geen idee waar u het over heeft. En aangezien ik uw hulp helemaal niet nodig heb, ga ik ervandoor. Mijn leven wordt door mij bepaald en door niemand anders.'

'De keuze is aan jou, Evander. Je mag altijd van gedachten veranderen. We zullen er voor je zijn.'

Ik gooide mijn plunjezak over mijn schouder en liep de kamer uit.

Terwijl ik door de straten scheurde, leek Quisco zich te herstellen. De huizen, met hun ingevallen daken en afgebladderde muren, leken door een onzichtbare hand te worden bijgewerkt. Het stof vervaagde en hier en daar schemerde het bladergroen erdoorheen, frisser en feller dan tevoren.

Voor ik de woestijn in reed, keek ik in mijn achteruitkijkspiegel. Quisco lag er precies zo bij zoals ik het de eerste keer had gezien, misschien zelfs weelderiger en bekoorlijker.

Aan het begin van de weg die tussen de ravijnen doorliep, zette ik mijn auto stil. Het was in een kwartier tijd aardedonker geworden en het schijnsel van de koplampen reikte niet verder dan een meter. Ik keek naar het zwarte gat dat voor mij lag. Mijn hart bonsde. Het was alsof ik opgeslokt zou worden door de nacht. Maar ik moest door.

Ik liet de motor ronken, gaf gas en scheurde over de weg terwijl ik mijn stuur omklemde en mijn ogen op het kleine stukje weg fixeerde dat door mijn lampen werd beschenen. Ik reed zo hard als ik kon tot mijn auto het asfalt opklapte. De middenstreep gleed onder mij door en ik minderde vaart. Ik moest zuinig gaan rijden, ik moest het tankstation van Sharon halen. Dat moest.

Eerder dan ik verwachtte doemde het naambord van Quisco op. Stapvoets reed ik er voorbij en keerde mijn auto om het bord te belichten. Het getal was ongewijzigd: die 1 met de iets te ver doorgeschoten streep eronder. Ik ervoer de blik die Jeremiah vanaf het bord op mij wierp niet meer als een dwingende oproep om in Quisco te blijven, maar eerder als meelevend. Hij leek zich om mij te bekommeren, leek te begrijpen waarom ik weg wilde. Nu moest ik het zelf nog snappen. Mijn vertrek was niet ingegeven door angst voor de vreemde gang van zaken net op het plein. Het had met iets anders te maken, iets wat ik niet kon omschrijven. Alsof ik nog niet aan Quisco toe was. En Quisco niet aan mij.

Toen ik hortend en stotend op de laatste druppels benzine Sharons terrein op reed, stond de zon even hoog aan de hemel als bij mijn eerste bezoek, maar verder was alles anders. De blinkende benzinepompen waren verroest. Verfblaren op de muren van het gebouwtje waren op een paar plekken als de steenpuisten in de nek van een puber geknapt en onthulden rood baksteen. De afgebladderde luiken hingen uit het lood en het raam waar ik Sharon gebogen over haar tafel had zien zitten, was versplinterd. De vitrage was door de glasscherven gescheurd en bewoog loom in roestbruine lappen uit het raam.

Alles wees erop dat een reiziger die kwam bijtanken hier niets te zoeken had. Tegen beter weten in zette ik mijn auto naast de pomp, ik stapte uit en viste het muntje uit mijn broekzak. Boven de benzineslanghouder zat een gleuf. Er wees een pijltje naar. 'Muntjes!' had Sharon erbij gezet. Ik keek naar de munt die veel te groot was om erin te passen. Ik wist dat het onzinnig was, maar het was mijn enige hoop, dus duwde ik hem tegen de gleuf. Tot mijn stomme verbazing verwijdde die zich. Ik liet de munt erin vallen en hoorde hem met een zacht getingel in de pomp terecht-komen. Ik stak de slang in mijn auto en drukte de hendel in.

Nog nooit had benzine zo lekker geroken en mijn bevrijdende lach klonk als die van een gek. Mijn euforie was van korte duur, want na ongeveer twintig seconden kwam er geen druppel meer uit. Ik herinnerde me de woorden van Sharon: 'Gooi die munt in de pomp en je redt het tot West.' Ik betwijfelde het.

Voorzichtig nam ik de verweerde treden van de veranda. 'Sha-ron?' Ook na de tweede keer roepen kwam er geen reactie. Ik liep richting de wc en keek door het raam. Sharon zat er niet maar de foto lag nog steeds op tafel, de zilveren lijst blinkend in de zon.

De deur waarachter Sharon bij mijn eerste bezoek was verdwenen, leidde naar een keuken. Op het gasfornuis lag een bakplaat met koekjes. Toen ik me eroverheen boog, zag ik dat het geen koekjes waren, maar muntjes. Op het aanrecht lag een stempel met de afdruk van een onbemande roeiboot. De bovenste rij was al voorzien van een afbeelding. Aan de rest was Sharon blijkbaar niet meer toegekomen. Ik probeerde er een op te pakken, maar ze zaten aan het blik vastgekoekt alsof ze erop gesoldeerd waren. Ik stapte de kamer links van de keuken in, nam plaats op de stoel waar ik Sharon eerder had zien zitten en pakte het fotolijstje op.

Jochem en ik hadden onze armen om elkaars schouders geslagen. Breed glimlachend keken we de lens in. Twee verschoppelingen die elkaar hadden gevonden. Wat waren we blij. Wat waren onze ouders blij. Wat hielden we onszelf voor de gek.

De snik barstte als een kreet uit mijn lichaam. Ik boog mijn hoofd en mijn tranen drupten op Jochem tot zijn gelaat vloeibaar werd. Langzaam kwam ik tot bedaren. Ik pakte een stuk van mijn T-shirt, veegde ermee over het glas en liep met het fotolijstje in mijn handen naar buiten. Toen viel het me pas op dat de roeiboot er niet meer lag.

Voordat ik wegreed keek ik uit automatisme in mijn achteruitkijkspiegel. De ogen die terugkeken, waren flets en alwetend. Het waren die van Josie.

Langzaam reed ik de asfaltweg op. Ik voelde me vreemd, alsof ik doormidden gekliefd was en uit twee personen bestond die erom vochten om op die ene stoel op de eerste rij te mogen zitten. Ik liet de sterkste van de twee, degene die ik al jaren succesvol bij me droeg, winnen.

43

WAT IK me van mijn terugreis kon herinneren, was dat het lampje van mijn benzinemeter vlak voor ik West binnenreed ging branden, en ik daar getankt heb. De rest van de rit vormt een gat in mijn geheugen.

Thuis nam ik contact op met mijn chef om mijn ontslag in te dienen. Zijn woorden klonken neutraal (jammer, ik hoop dat je snel ergens anders aan de bak komt, misschien zien we elkaar nog weleens) maar ik hoorde dat het hem moeite kostte de verheuging in zijn stem te onderdrukken. Vervolgens sloeg ik proviand in waar ik minstens een maand van kon leven, en sloot me op in mijn huis.

Toen ik na een maand het laatste woord op papier zette, ging ik in bed liggen en kwam daar een week lang niet uit. Ik was niet alleen oververmoeid, ik was doodziek.

Na mijn eerste nacht zonder nachtmerries, ontwaakte ik als herboren. Ik liep naar de badkamer en keek mezelf voor het eerst sinds weken aan. Daar was ik weer. Terug van weggeweest.

Mijn manuscript viel bij de uitgever van mijn keus in zeer goede aarde. Het kostte me vervolgens een week of zes om mijn boek te perfectioneren en het kostte de uitgever twee maanden aan juridisch vooronderzoek om alle risico's in kaart te brengen. Ik had geen keiharde bewijzen omdat die er niet waren. In de theorie die ik had ontwikkeld was iedereen in Quisco betrokken geweest bij de verdwijning van Martha. Omdat ze allemaal schuldig waren, bleef iedereen buiten schot.

De dag na de publicatie van mijn boek, exact een halfjaar nadat ik Quisco had verlaten, sprongen de media erbovenop. In een paar uur tijd vulde mijn agenda zich met interviewverzoeken en mijn boek werd een instant bestseller. Alles ging zoals ik had voorzien. Ze vraten het. Logisch, want de waarheid over Quisco sprak tot de verbeelding. Het suffige dorp bleek een paria-enclave, een gevangenis zonder tralies en zonder muren of bewaking maar van waaruit geen ontsnappen mogelijk was. Als je kenbaar maakte dat je wilde vertrekken, zoals Martha had gedaan, zorgden ze ervoor dat je spoorloos verdween.

In no time stond het hele land op zijn kop, en uit mijn boek vloeiden avondvullende debatten voort waarin deskundigen van diverse pluimage hun licht over Quisco lieten schijnen. Al snel vormden zich verschillende kampen: de ene groep beweerde dat de inwoners van Quisco geen kant op konden en spraken er schande van dat deze mensen zich hadden moeten terugtrekken in een onbereikbaar deel van het land. Anderen bezigden een lekker-net-goed-mentaliteit en zagen Quisco als het voorbeeld voor een ideale samenlevingsvorm waarbij criminelen, al dan niet schuldig bevonden, bij elkaar werden gezet. Dat die lui in een soort reservaat zaten, was een zegen voor de mensheid. Er gingen zelfs stemmen op om meer van dergelijke plaatsen te stichten, weggestopt in de woestijn. Weer een andere groep riep dat 'die mensen daar' uit hun lijden moesten worden verlost. Een bom erop en klaar. De inwoners van Quisco waren gewoonweg niet levensvatbaar. Over één ding was iedereen het eens: dat meisje, die Josie, moest daar zo snel mogelijk worden weggehaald, desnoods met geweld.

Alles verliep volgens plan. Ik was een bestsellerauteur, geroemd om zijn vindingrijkheid en vernuft, want sinds het bestaan van Quisco was ik de enige die de onderste steen had weten boven te krijgen. Daarom kon ik mijn gemoedstoestand niet plaatsen. Ik was constant moe – het was me aan te zien – en een gevoel van euforie bleef uit. Het deed me allemaal weinig. Als een getrainde aap deed ik wat van mij werd verlangd en 's avonds viel ik in een diepe droomloze slaap waar ik doodmoe en badend in het zweet uit ontwaakte. Er knaagde iets aan me en ik begreep niet waar dat onbestendige gevoel vandaan kwam. Het was geen angst voor repercussies, want een reactie vanuit Quisco bleef uit en viel ook niet meer te verwachten. Of had het niks met Quisco te maken, maar was ik bang dat ik mezelf niet kon evenaren? Evander de eendagsvlieg.

Hoe populair ik ook was, ik had met niemand echt contact. Mijn vader had ik meteen bij thuiskomst de wacht aangezegd. Anna had ik een keer gezien tijdens een signeersessie. Ik zette op de automatische piloot mijn handtekening in de boeken die opengeslagen onder mijn neus werden geschoven. 'Voor Anna,' hoorde ik een stem. 'De vrouw die ik heb laten vallen als een baksteen.' Ik keek op. Mijn glimlach werd niet beantwoord. Ze zag er mooi en kwaad uit. De jongen die naast haar stond, hield zijn arm stevig om haar heen geslagen en keek mij vergenoegd aan. Ik schreef op wat mij was gedicteerd. Toen ik haar het boek opgevouwen teruggaf, legde ze haar handen op het omslag en de achterflap en sloeg het boek dicht. Ik beet mijn tanden op elkaar en keek ze na terwijl ik mijn zere duim vasthield.

Op een dag merkte ik dat ik op was. Ik kon niet meer. Ik was ziek van mezelf. Van de zinsneden die automatisch uit mijn mond vloeiden doordat ik alle manieren om een antwoord te formuleren al had uitgeprobeerd. Ik had mijn verhaal zeker tienduizend keer verteld en ik had er genoeg van. Het was alsof ik boven mezelf zweefde en neerkeek op een stompzinnig glimlachende idioot die knikkend complimenten in ontvangst nam.

Ik stopte met alles en gaf de uitgeverij aan een time-out te willen. Het bleef even stil van hun kant – interne besprekingen kosten nu eenmaal tijd – en ze kwamen terug met de boodschap dat ze er alle begrip voor hadden. Prima, zei de uitgever. Rust, heel goed, ja, je hebt het verdiend, en als je toch je rust neemt, begin dan gewoon met je tweede boek. Mensen zouden ook mijn tweede verslinden, ja, ze waren ervan overtuigd dat die net zo'n eclatant succes zou worden als mijn eerste.

Ik poogde te doen wat mij werd gevraagd – de door mij herwonnen tijd moest toch met iets ingevuld worden – maar het werd een grandioze mislukking. Ik had gewoonweg geen idee waar ik het over moest hebben. Ik was opgedroogd. Elk idee viel in het niet bij Quisco. Mijn angst kwam uit: ik had mijn kruit verschoten.

Op de dag dat dit tot mij doordrong – het was de eerste dag van een hittegolf die twee weken aanhield – gebeurde er iets waardoor ik mijn onbestendige gevoel eindelijk kon plaatsen.

44

IK WERD opgepakt voor de moord op Martha Mulder.
Op het moment dat ik de deur opendeed van de villa die ik
een week eerder had betrokken en de agenten zag staan, schoot
het door mijn hoofd dat ze kwamen vertellen dat mijn vader was
omgekomen bij een ongeluk of iets dergelijks. Ik zette mijn gezicht al op standje bedroefd, zoals het hoort. Maar ze moesten mij
hebben.

Achtereenvolgens werd ik beschuldigd, in de boeien geslagen
en naar het politiebureau gereden, alwaar ik mijn persoonlijke ei-
gendommen moest inleveren en vervolgens een verhoorkamer in
werd geduwd.

Mijn ondervrager liet weten dat alles erop wees dat ik schuldig
was aan de dood van Martha Mulder. Hij zette zijn woorden
kracht bij door een aantal keer met zijn vlakke hand op het vuist-
dikke dossier te slaan dat tussen ons in op tafel lag. Ik protesteer-
de, zei dat het onmogelijk was, dat ik er niks mee te maken had,
onmogelijk iets mee te maken kón hebben. Wat was mijn motief?

Waarom zou ik Martha Mulder om het leven willen brengen? Ik moest mijn mond houden en hem uit laten praten.

De rechercheur vertelde dat sheriff Cordon diepgravend onderzoek had verricht, zijn inzichten met hem had gedeeld en uit alles bleek dat ik de dader was. Ik was in Quisco toen Martha werd gevonden. Hoelang was ik daar toen? Twee dagen toch? Uit het autopsierapport was gebleken dat Martha op de tweede dag van mijn verblijf was overleden.

En dan waren er nog de getuigenissen. Volgens de inwoners had ik me vanaf dag één vreemd gedragen en was ik opeens in allerijl vertrokken. Mevrouw Selma Le Bon vertelde dat ik de tweede dag dat ik bij haar was, een stukje was gaan rijden. Toen ze mij de volgende ochtend wakker maakte om te vertellen dat Martha Mulder was gevonden, viel het haar op dat ik onder de schrammen zat. Dat moest gebeurd zijn toen ik Martha door de braamstruiken sleurde. Haar vriendin kende ik vast, een bramenplukster? Mevrouw Boon? Die beaamde wat mevrouw Le Bon zei. Die schrammen op mijn armen waren mevrouw Boon ook al opgevallen toen ze mij op het Kruispad sprak op de dag dat Martha gevonden werd. En kon ik me de eigenaar van Eten & Drinken nog herinneren? Die bolle? Vast wel. Die beweerde dat ik alles had willen weten over de achtergrond van de inwoners, ik in hun verleden was gaan graven en die informatie vervolgens had gebruikt om de verdenking op hen te leggen. Dan was er ook nog de slager. Die had zich al afgevraagd waarom ik me er zo over opwond dat mevrouw Mulder bij hem in de koeling was opgeborgen – een uitstekende oplossing overigens – en hij begreep niet waarom ik wilde weten waar ze precies lag, waarom ik had geëist haar te zien.

Wilde ik soms op Martha's lichaam iets achterlaten? Of daar juist iets weghalen? Iets om de sheriff op het verkeerde spoor te zetten? De burgemeester wantrouwde mij vanaf de eerste dag en wist dat ik een verborgen agenda had. Vanaf het moment dat ik Quisco binnenreed, had hij me in de gaten gehouden. Dit stond allemaal nog los van de andere inwoners die zonder uitzondering lieten weten dat ze zich bij mij slecht op hun gemak voelden en stuk voor stuk beaamden dat ik mij verdacht gedroeg.

Ik hield mijn handen over mijn oren en schudde mijn hoofd. Ik begreep er niets van. Ik was in een wereld terechtgekomen waar ik niet hoorde te zijn. Ik. Hoor. Hier. Niet. Te. Zijn schreeuwde ik. De rechercheur trok mijn handen van mijn hoofd en drukte mijn polsen pijnlijk hard op het tafelblad. Ik had te luisteren want hij was nog niet klaar. De belangrijkste vondst, hetgeen de doorslag had gegeven, moest nog komen. Hij liet mijn polsen los, deed een stap naar achteren en zei op een triomfantelijk toontje dat mijn DNA op het lichaam van Martha was aangetroffen. Mijn DNA? Met open mond keek ik hem aan. Dat was onmogelijk. O, ja? Die stomverbaasde uitdrukking op mijn gezicht sloeg werkelijk nergens op. Hoe waren mijn haren op haar lichaam terechtgekomen? Hoe viel dat te verklaren als ik nooit in haar buurt was geweest? Ik zei dat ik nooit bij haar in de buurt geweest kón zijn, omdat ze naar West was gebracht en ik al die tijd in Quisco was gebleven. Ha! Martha naar West gebracht? Hoe kwam ik daarbij? Leuk verzonnen, maar haar lichaam had Quisco nooit verlaten. Toen drong het tot me door en zag ik hoe Selma mijn twee grijze haren tussen duim en wijsvinger geklemd hield en met een glimlachje aan mij liet zien.

De media konden hun geluk niet op. Die auteur van dat spraakmakende boek waarin hij de doopceel van de inwoners van Quisco had gelicht zonder na te denken over de gevolgen? Die vent die deed voorkomen alsof de inwoners de dood van hun huisarts op hun geweten hadden? Die bleek zelf de schuldige te zijn! Het gore lef.

Ik zat twee weken in voorarrest. Twee eindeloze weken waarin ik elke hijgende advocaat de deur wees en die werden afgesloten met de celdeur die openging en de bewaker die mij vertelde dat ik kon vertrekken. Mijn zaak was geseponeerd. Er zat een engeltje op mijn schouder, zei hij waarop ik antwoordde dat ik geen behoefte aan een engeltje had. Het was helemaal geen vergissing. Ik hoorde hier wel te zijn. Hij keek me aan alsof hij met een gek te maken had. Toen begon hij te lachen, zei dat ik pech had en ik mijn vrijlating aan de inwoners van Quisco had te danken. Zij hadden stuk voor stuk hun verklaring ingetrokken. Toen stond ik op straat.

Twee weken is lang genoeg om iemand kapot te maken. De publieke opinie had zich tegen mij gekeerd. Mijn boek verkocht er niet minder om, maar ik was niet langer iemand naar wie ze opkeken. Hun oordeel was eensgezind. Ik was vrijgelaten, maar dat zei niks over mijn onschuld. Op een gewetenloze manier had ik misbruik gemaakt van het vertrouwen dat de inwoners van Quisco in mij hadden gesteld. En wat kregen die mensen in ruil voor hun gastvrijheid? Een mes in hun rug. Ik was een vieze vuile verrader die ook nog eens de 'stem' van een jong meisje had gebruikt om mijn leugenachtige verhaal te vertellen.

Twee weken in een cel geeft je ook tijd om na te denken. Ik had de dagen die ik in Quisco had doorgebracht, teruggespoeld en geanalyseerd. Er was nooit een lichaam geweest. Er was nooit een Martha Mulder geweest. Martha Mulder was inderdaad niet van belang. Het ging om mij.

Het allesoverheersende gevoel dat ik tot in het diepst van mijn ziel was bedrogen, maakte mij eerst woedend. Ze hadden mij gemanipuleerd, elke stap die ik in Quisco zette was door hen bepaald. Ze hadden mij gevoed en gekneed, net zo lang tot ik geloofde wat zij wilden dat ik geloofde. Ze wisten precies welke kant ze mij uit moesten duwen. Ik las wat zij wilden dat ik las, zag wat zij wilden dat ik zag, hoorde wat zij wilden dat ik hoorde. Al mijn zorgvuldig gemaakte afwegingen waren voorbereid zonder dat ik daar weet van had. En ik? Ik liet het toe. Ik had alles voor zoete koek geslikt omdat het binnen mijn theorie viel. Ik had me in de luren laten leggen, en was me ervan bewust dat mijn zelfingenomenheid mij daarbij parten had gespeeld. Alle informatie die zogenaamd langs slinkse wegen tot mij was gekomen, had ik voor waar aangenomen. Ze hadden mij bespeeld, en het gemak waarmee ik te paaien was geweest, was hemeltergend.

Mijn kwaadheid ebde weg en maakte plaats voor gedachten die niet door mijn emoties werden voortgestuwd. Ze hadden me immers gewaarschuwd: niets is wat het lijkt in Quisco. Nu ik Quisco zag voor wat het was, nam ik niemand meer iets kwalijk. Ik was wel degelijk op zoek geweest en zonder Quisco had ik het nooit gevonden. En vooral niet zonder Josie. Voor sommige mensen is een goed gesprek niet voldoende om ze de waarheid te doen inzien. Hun blokkade is te groot. In die gevallen zijn stringente maatregelen noodzakelijk.

Bij het naambord van Quisco stapte ik uit. Het rook naar gesmolten asfalt en gedroogd gras. De gebarsten, wit uitgeslagen asfaltweg strekte zich voor en achter mij uit in de trillende lucht en spleet de zanderige vlakte in tweeën. Een schaduw viel over mij heen en ik keek omhoog. De roofvogel vloog rechtdoor en keerde met een ruime bocht. Recht boven mijn hoofd slaakte hij een kreet en verdween met een zwiep van zijn vleugels.

Ik keek naar het inwonersaantal. Over de 1 was een 2 geschilderd. Deze keer was het cijfer zorgvuldig uitgelijnd. Ik drukte mijn vinger erop en bekeek mijn vingertop. De verf was kurkdroog.

Ik wist wie er was toegevoegd aan de populatie. Ik voldeed immers aan alle eisen.

NAWOORD

ALLE GEBEURTENISSEN in dit boek hebben zich voltrokken als omschreven. De personages zijn gebaseerd op bestaande personen. Om redenen van privacy zijn de namen van sommigen gefingeerd – ik heb ze zelf daarin de keuze gelaten – en in een aantal gevallen wijken hun uiterlijke kenmerken af van hun werkelijke voorkomen. Overeenkomsten met bestaande personen berusten dan ook niet op louter toeval.

De naam Quisco heb ik verzonnen om te voorkomen dat het stadje overspoeld wordt door lieden die er niets te zoeken hebben.

Niets is precies wat je ziet. En wat je ziet is het precies. Allebei waar.

Daan Hermans